Das Buch

Die unschuldig-schuld
Schicksal ist das Leitm
nung eines Reisenden
rend schönen Mädchen
gelaufen ist, wird zum
brechens; ein Mann in
ges Mal versucht, wieder Mensch zu sein und aus den gewohnten Geleisen zu treten, gerät in einen Kampf auf Leben und Tod; ein scheinbar nebensächliches Ereignis fügt sich plötzlich in einen größeren, bedeutungsvollen Zusammenhang. Immer ist in diesen Erzählungen die Menschlichkeit und lächelnde Weisheit eines Dichters zu spüren. Mit seiner farbigen und kräftigen Prosa hat sich Eugen Roth einen von allen literarischen Zeitströmungen unabhängigen Platz im Herzen der Leser erworben.

Der Autor

Eugen Roth wurde am 24. Januar 1895 in München als Sohn des Schriftstellers Hermann Roth geboren. Nach dem Studium (Germanistik, Geschichte und Kunstgeschichte, Dr. phil. 1922) war Eugen Roth bis 1933 als Redakteur an den ›Münchner Neuesten Nachrichten‹ tätig. Bis zu seinem Tod am 28. April 1976 lebte er als freier Schriftsteller in seiner Heimatstadt, die ihm 1952 den Kunstpreis für Literatur verliehen hat. Seine Bücher (u. a. ›Ein Mensch‹ 1935, ›Die Frau in der Weltgeschichte‹ 1936, ›Der Wunderdoktor‹ 1938) sind in Millionen von Exemplaren verbreitet.

Die [illegible] Verstrickung des einzelnen in sein [illegible] dieser Erzählungen. Die Begegnung [illegible] mit einem unbekümmerten, verwir-
[illegible], das seiner Dienstherrschaft davon-
[illegible] ungewollten Anlaß eines Gewaltver-
[illegible] Amt und Würden, der nur ein einzi-
[illegible] der Menschen [illegible]

[illegible]

Eugen Roth:
Abenteuer in Banz
Erzählungen

Deutscher
Taschenbuch
Verlag

Von Eugen Roth
sind im Deutschen Taschenbuch Verlag erschienen:
Ernst und heiter (10)
Genau besehen (749)
So ist das Leben (908; auch als dtv großdruck 2529)
Das Eugen Roth Buch (1592)
Je nachdem (1730)
Der Weg übers Gebirg (2545)
Spaziergänge mit Hindernissen (10046)

1. Auflage Januar 1965
3. Auflage April 1986: 36. bis 45. Tausend
Deutscher Taschenbuch Verlag GmbH & Co. KG,
München
Lizenzausgabe mit freundlicher Genehmigung des
Carl Hanser Verlags, München
Auswahl aus: ›Eugen Roth, Sämtliche Werke‹

Umschlaggestaltung: Celestino Piatti
Gesamtherstellung: C. H. Beck'sche Buchdruckerei,
Nördlingen
Printed in Germany · ISBN 3-423-10557-7

Abenteuer in Banz

Ich bin, vor zehn Jahren vielleicht, und ich war also nicht der Jüngste, Mitte Dreißig, ungefähr, in Geschäften nach Franken gereist, und da habe ich noch, wie alles gut abgewickelt war, eine Woche für mich zur Kurzweil herausgeschlagen. Und weil es so klarer und warmer Herbst gewesen ist, habe ich mir gedacht, ich sollte doch das berühmte Vierzehnheiligen anschauen und das Schloß Banz; ich habe es nur so vom Vorbeifahren gekannt, einmal nachts den rauschenden Hügel unterm geronnenen Mondhimmel und einmal unter den schweren Flügelschlägen der Novemberwolken. Und es ist seitdem Banz für mich eine Art Märchen gewesen und ein Zauberschloß und schier so, daß die innerste Seele sich gescheut hat, da einfach hinzugehen und das alles anzuschauen wie irgendein anderes Stück Erde.

Und jetzt war ich dennoch wirklich dort, in Staffelstein, in einem alten Wirtshaus, und es ist ein Septembertag aufgegangen, aus den dicken Bäuschen des Morgennebels, ganz aus kaltem Dampf, und golden funkelnd stand droben das Schloß Banz, mit feurigen Fenstern. Ich bin aber zuerst nach Vierzehnheiligen gewandert, über die geschliffenen Wiesen, und bin um die Kirche herum wie um ein Schiff und durch das Geschrei der Wachszieher und Händlerinnen, die ihre Buden herumgedrängt hatten um den riesigen steinernen Körper, der sich da hinaufgeschwungen hat, gelbwarm in den silberblauen Himmel. Und das erstemal bin ich nicht in die Kirche hinein, es wäre zuviel gewesen, und bin hinauf an den Waldrand, ins späte Gras hab ich mich gelegt und über die nahen Türme hinübergeschaut auf den waldweiten Berg von Banz.

Und dann bin ich doch hinein in die große Stille; eine ganz dröhnende Stille war drin, in der Kirche, als wären die Pfeiler und Bögen und Kuppeln und wie man das alles heißt, als wär' das eine einzige Orgel.

Das wollte ich aber gar nicht erzählen, sondern bloß damit sagen, wie ich in einer fast heiligen Stimmung gewesen bin, wie ein rechter Wallfahrer, und so bin ich auch dann den Berg hinuntergegangen und bin froh gewesen in dem leicht gewordenen Tag, der jetzt mittaghell und heiß über dem Tal gelegen ist.

Auf einem kleinen Fußpfad, an Weiden entlang und später an Zwetschgenbäumen, aber die Früchte waren noch nicht recht reif, bin ich dann in ein Dörflein gekommen, da haben sie gedroschen, und die Mägde sind bunt und glühend auf den mächtigen Schütten Stroh gestanden und haben mir zugelacht. Aber ich bin nicht stehengeblieben und habe keine recht angeschaut, denn ich habe ja noch vor Mittag droben sein wollen in Banz.

Und dann bin ich am Main gewesen. Der Fluß ist schwarz und still an dem buschigen Berg hingeflossen, und über den grünen Stauden drüben ist steil der schattentiefe Wald aufgestiegen. Der Fährmann hat mich übergeholt, es war keine breite Flut, ein Wehr war da, und das braune Wasser ist weißquirlend hinuntergesprungen, aber dann war es wieder lautlos und dunkel wie zuvor.

Eine Wirtschaft ist dagestanden, mit einem Tisch und einer Bank im Freien, grad überm Fluß und mit dem Blick über das Wiesental, gegen Lichtenfels zu. Und obwohl ich eigentlich gleich hätte den Wald hinaufsteigen wollen und erst droben Mittag machen, habe ich mir's anders überlegt, denn Hunger hatte ich auch, und die Aussicht übers Wasser war schön, und vielleicht konnte ich, ein Stückchen stromabwärts, baden, denn es war windlos und warm.

Ich setze mich also auf das Bänklein, die Kellnerin kommt, eine freundliche Person, die vor gar nicht langer Zeit recht hübsch gewesen sein muß, und bringt mir, was sie gerade hat, Schinken, Brot und einen Schoppen Apfelwein. Wir reden, was man so redet, wie der Sommer war und daß es ein schöner Herbst werden kann, da kommt ein Mädel des Wegs, mit einem kleinen Handkoffer, lacht die Kellnerin an, die sie wohl schon kennt, und mit dem gleichen Blick lacht sie auch mich an, nicht frech, aber deutlich und unbekümmert. Sie setzt sich ans andere Ende des Tisches, verlangt etwas zu essen und unterhält sich in einem unverfälschten Fränkisch mit der Kellnerin, so daß ich Mühe habe, das Gespräch zu verfolgen.

Sie hat ihren Dienst aufgesagt, die Frau war ihr zu streng, da ist sie einfach auf und davon, eine neue Stelle hat sie noch nicht, aber sie wird schon was finden. Es ist nicht das erstemal, daß sie durchbrennt, einmal wäre es ihr schon beinahe schlecht bekommen, sie ist drei Tage ohne einen Pfennig Geld in Nürnberg herumgestrolcht, dann hat sie, wie sie sagt, Glück gehabt, sie hat einen netten Herrn aufgegabelt, und da ist dann wieder alles gut gegangen.

Sie merkt, daß ich eigentlich aus Langerweile oder aus Zwang, denn schließlich muß ich es ja mit anhören, hinhorche und fängt sogleich meinen kühlen Blick in ihre blitzenden Augen und lacht, daß ihre weißen Zähne schimmern. Ein wunderbares Gebiß hat sie, sage ich mir, noch ganz fremd, aber ich denke schon weiter: Schön ist dieses Frauenzimmer! Wie alt kann sie sein? Noch keine zwanzig, sie ist herrlich gewachsen, eigentlich nicht bäuerisch, sie hat nur etwas Fremdes, Slawisches, Breites – was geht sie mich an, ein entlaufenes Dienstmädchen –, da spüre ich schon, daß ich mich wehre, daß es zuckt und zerrt in mir, und daß ich plötzlich weiß: das ist ein Raubtier, da mußt du auf der Hut sein!

Ja, da war mit einemmal die ganze Gnade dieses frommen Tages fort, Vierzehnheiligen war fort mit seinem rauschend inbrünstigen Jubel und die kühle Sehnsucht nach Wasser und Wald und nach dem stillen Weg, hinauf ins Licht, nach Banz.

Nie ist ein Mann schärfer und in seiner Lust nach Abenteuern gefährdeter, als wenn er auf Reisen ist und das Leben schmecken will wie fremden Wein und fremdes Brot.

Und dieses junge Weib, unbekümmert und in einer fast tierischen Unschuld das Leben witternd, war so bedrohlich wie selbst bedroht. Sie war nicht gewöhnlich, sondern fest, sie war nicht frech, sondern kühn, sie war nicht anschmeißerisch, aber sie war da.

Ihr Blick hatte etwas Furchtloses, und ihre Zähne hatten etwas Gewalttätiges. Sie war eine Wilde, wie von anderm Blut und anderen Gesetzen.

Ich mischte mich sparsam in das Gespräch, ich gesteh's, ich spielte den Mann von Welt, der sich herabläßt und so ein Wesen nicht ernst nimmt. Sie wurde schnell vertraulich, und wieder konnte ich nicht sagen, sie wäre zudringlich gewesen. Sie hat in ihrem Täschchen gekramt und mir ein Kreuzchen, das sie von ihrer Mutter zur Firmung gekriegt hat, mit der gleichen Unschuld gezeigt wie das Bild ihres ersten Liebhabers, der starren Blicks mit aufgedrehtem Schnurrbart als Oberländler vor einer Zither saß.

Er spiele jetzt in Hamburg bei einer bayerischen Truppe, sagte sie, und ich bekam eine Wut auf den geschleckten, leeren Burschen – und diese Wut war schon so gut wie Eifersucht. Die Kellnerin ging und holte mir einen zweiten Schoppen. Ich hätte längst gehen sollen, aber ich log mich an, daß ich ja tun könnte, was ich wollte, und daß es so prächtig zu sitzen wäre, auf der Bank in der Sonne, dicht über dem schwarzen Wasser. In Wahrheit hielt mich dieses Weib mit den Zähnen fest. Sie saß jetzt ganz nahe, es gab sich unauffällig, weil sie mir etwas zeigen wollte, ich schaute gar nicht recht hin, es war wieder ein Lichtbild, ich verschlang sie selber, ihr bloßer Arm streifte meinen Mund, ich roch sie, ich schmeckte sie. Ich zitterte heftig, ich mußte mir Gewalt antun, sie nicht anzufassen. Sie lachte mir breit, mit ihrem Raubtiergebiß ins Gesicht.

In einer festen Stellung leben, das wäre keine Kunst, aber sie wollte frei sein. Sie ließe sich nichts gefallen. Sie wollte zum Leben ja und nein sagen, wie es ihr passe, nicht wie es die andern möchten. Ich fragte mit angestrengter Ruhe, ob sie nicht Angst hätte, das Leben wäre gefährlich für so ein junges Lämmchen, wie sie noch eins wäre. Der Wolf würde sie fressen, wie im Märchen. Und ich streichelte eine blonde Locke aus ihrer Stirn. Sie aber, lustig in meine Augen hinein, gab zur Antwort, sie wäre kein Lämmchen, sie wäre schon selber ein Wolf. Und fürchten täte sie keinen. Es wäre schon einer da, noch vom vorigen Sonntag her, der möchte ihr freilich nachstellen. Und das wäre mit ein Grund, daß sie wegliefe. Sie könnte den Kerl nicht ausstehen. »Aber Sie sind ein netter Herr«, sagte sie plötzlich und so ungeschickt, daß ich wieder zur Besinnung kam und wegrückte.

Jetzt kehrte auch die Kellnerin zurück und setzte das Krüglein vor mich. »Ihr jungen Dinger«, schimpfte sie gutmütig, »ihr seid doch gar zu leichtsinnig.« Am letzten Sonntag hätten sich die Mannsleut fast geprügelt wegen dem Mädel da. Und sie ist dann doch mit dem langen, schelchäugigen Kerl fort und man weiß nicht, wohin . . . »Hast du denn gar keine Angst, und schämst du dich denn gar nicht?!«

Das Mädchen lachte und warf den Kopf zurück: »Nein!«

Wieder war es kein freches, schamloses Nein, sondern ein sieghaftes, unangreifbares, das noch von keiner Niederlage des Lebens wußte.

Nun ging das Mädchen weg, eine Ansichtskarte zu holen, und die Kellnerin redete mit mir, wohlwollend seufzend, wie Erwachsene über Kinder reden. Und sie erzählte noch einmal ausführlich, wie das gewesen wäre am Sonntag und mit dem wüsten Burschen. »Es gibt Mädeln«, sagte sie, »die sind dazu geschaffen, daß sie die Männer verrückt machen, und wissen es selber nicht. Die ist so eine.«

Ich gab ihr recht, ich sagte, und wußte nicht, wie ich dazu kam, diese Art Mädchen wären wie fressendes Feuer und die letzten Gefährtinnen verschollener, wilderer Götter. Und an solchen Frauen könnte sich Wahnsinn und Verbrechen entzünden, und ähnlicher Art wären die gewiß, die den Mördern zum Opfer fielen, unschuldig und doch schuldig.

Die Kellnerin schaute mich einen Augenblick erschrocken an, ich war auch verwirrt, aber dann lachte sie, wie sie gewohnt war, über die Späße der schlimmen Herrn zu lachen, die sie bedienen mußte. Es war ein hölzernes Berufsgelächter, und sicher dachte sie auf ihre Art über das Wort Mörder nach, wie ich es auf die meine tat, rasend plötzlich und wie von einem Gott berückt zu brausenden Träumen.

Das Mädchen kam zurück, wollte die Karte schreiben, kramte vergebens nach einem Bleistift, sah mich bittend an. Ich hatte, wie immer, Bleistifte in allen Taschen, und der, den ich ihr gab, war ein versilberter Drehstift, wie ihn große Geschäfte zu Werbezwecken verschenken. Sie bewunderte ihn aufrichtig; sie war in diesem Augenblick wieder ganz die schöne Barbarin, ein beglücktes Kind; und so habe ich sie wirklich geliebt. »Bitte, behalten Sie ihn«, lächelte ich, »wenn er Ihnen Freude macht!« Und stockend fügte ich noch hinzu: »Zum Andenken an –«, ich war ums Haar wahnsinnig genug, meinen Namen zu nennen, sagte aber dann doch nur: »an unsere Begegnung.« Ich spürte, wie mir das Blut in den Kopf schoß, sie sah mich an, auch sie war rot bis in das Weiße der Augen hinein, aber mit einem mehr wissenden als fragenden Blick.

Jetzt ist es genug, sprach ich hart zu mir selber, schalt mich einen Narren und hatte eine Wut auf meine Schwachheit. Ich trank rasch aus und verlangte zu zahlen. Ich hatte nur einen Zwanzigmarkschein, und die Kellnerin mußte ins Haus, um Wechselgeld zu holen.

Währenddem schrieb das Mädchen und ich sah schweigend auf den Fluß und über die Wiesen, darüber jetzt der volle Mittag flimmerte, ein gläsern klarer Septembermittag. Ich tat so, wie Reisende tun, die sich eine Weile angeregt unterhalten haben, schier vertraulich oder feurig, und die nun, nah am Ziel, das Gespräch einschlafen lassen, um mit einem höflichen kalten Gruß auseinanderzugehen, fremd, wie sie sich einander begegnet waren.

Aber die Schreibende bot plötzlich und ohne jede Absicht einen so betörend süßen, ja entflammenden Anblick, daß ich im Innersten gänzlich herumgeworfen, mich jetzt nicht minder heftig wiederum einen Narren hieß, daß ich dieses Abenteuer ließe, das ich doch, wie ich mir einredete, zu einem anständigen und uns beide beglückenden Erlebnis machen konnte, wenn ich nur ernsthaft wollte. Ich konnte ihr nicht nur in ihrer schlimmen Lage helfen, ich vermochte wohl unschwer ihr das tiefe Geheimnis einer großen Begegnung einzuprägen, das ihrem ohnehin gefährdeten Leben bedeutungsvolle Kräfte verleihen würde.

Zugleich aber kam die Kellnerin und legte das Geld in großen Silberstücken hin. Indem ich es einstrich, sah das Mädchen auf und seufzte: »Viel Geld!« Und mir schoß es durch den Kopf: »Also doch . . .«, und ich würgte an einem unverschämten, scherzhaft sein sollenden Angebot, ganz erbärmlich war ich in diesem Nu, vor Enttäuschung, Begierde und Hilflosigkeit. Der blühende Traum der Liebe zerfiel. Aber da klagte sie schon, wieder so entwaffnend wie je. »Wenn ich das Brot da bezahlt habe, bleiben mir keine fünf Mark mehr, und wer weiß, für wie lange.«

Nun hatte ich wieder Mitleid mit ihr. War es nicht begreiflich, daß ihr der Anblick des blitzenden Silbers einen Seufzer des Begehrens entlockt hatte? Aber wie konnte ich ihr Geld bieten, oder auch nur ihre Zeche bezahlen? Vielleicht hatte ich selbst kein gutes Gewissen mehr, jedenfalls schämte ich mich und blieb unentschlossen.

Es fiel mir schwer, zu gehen. »Geh!« sagte die eine Stimme in mir; »endgültig versäumt«, sagte die zweite. Noch blieb ein Ausweg: Sehr laut und umständlich fragte ich die Kellnerin nach dem nächsten Badeplatz, obgleich ich ihn unschwer gefunden hätte. »Zweihundert Schritte mainaufwärts«, gab sie Auskunft, »zweigt von der Straße ein Fußweg zum Wasser ab. Er führt zu einer Halbinsel, und da wird immer gern gebadet.«

»Dorthin werde ich gehen«, sagte ich mit einem nur allzu befangenen Lächeln zu dem Mädchen hin, und »Grüß Gott«, sagte ich, und »Ihnen viel Glück auf den Lebensweg, und vielleicht sehe ich Sie schon heute abend wieder in Lichtenfels!« Und ich ging übertrieben munter, den Stock wirbelnd, davon. Ich sah mich auch nicht mehr um – Lebe wohl, hübsches Kind, tralala, ich habe schon schönere Frauen ungeküßt lassen müssen als dich! Vorbei! Aber herrliche Zähne hat sie. Das muß ihr der Neid lassen. Und überhaupt, wer weiß, vielleicht bist du die verzauberte Prinzessin im Aschenbrödelgewand, und ich bin der törichte Prinz, der es nicht gemerkt hat ...

Ein Mann ging vorbei, ein großer Kerl, und schaute mich mit schiefem Blick grußlos an. Ich kümmerte mich nicht darum.

Eine rasende Spannung war in mir, die Leidenschaft drückte mir gegen das Herz. Und plötzlich spürte ich es: Das war doch die Aufforderung zu einem Stelldichein gewesen, nichts anderes. Und sie wird kommen, sie wird kommen. Sie wird, zufällig, vorbeigehen, wird lächeln, ihre Zähne werden blitzen, sie wird sagen: Ja, da bin ich. Und ich werde sagen: Es ist so schöne Sonne hier, bleiben Sie ein bißchen. Und sie wird sich ins Gras setzen, und vielleicht bin ich ... ich dachte nicht weiter, ich dachte nur bis zu der glühenden Wand: Sie kommt!

Es war eine grüne Stille um mich von Berberitzen und Haselnußstauden, und ich war schon auf dem Fußsteig und ging ganz langsam, so schwer ging ich unter der Last meiner Angst und Begierde.

Der späte Sommer kochte die Süßigkeit der Erde gar in einer brodelnden Luft. Ich spürte die reife Verführung, und noch einmal nahm ich mir dreist das Recht, diesen Taumel, der mich überfallen hatte, Liebe zu nennen. Nichts wehrte sich in mir gegen dieses Mädchen als das Vorurteil, daß sie eine Magd sei. Aber gehen nicht herrlich durch alle Mythen und Sagen die wandelbaren Götter? Trifft nicht mit blindem Pfeil Eros, wen er will? War mir das Leben so reich gesegnet, daß ich es verschmähen durfte, nun, da es prangend kam, leicht zu lösen aus seiner Verkleidung?

Freilich, die andre Stimme war nicht minder mächtig, sie rang mit dem kupplerischen Blendwerk der verzauberten Sinne. Es blieb ein kalter, wachsamer Rest Verstandes in meinem schwirrenden Hirn, den keine schönen Worte überlisten konnten. Aber, war dieser Rest Vernunft nicht einfach Feigheit vor dem Leben, diesem Leben, das immer eingesetzt sein will, wenn es gewonnen werden soll? Ich wußte nicht, ob ich ein Sieger war oder ein Besiegter, wenn ich es tat, wenn ich es ließ.

Ich setzte mich an den Rand des Flusses. Schwarz, still und kalt strömte das Wasser vorbei. Ich tauchte die Hand hinein, es war ein Erwachen. Da lauere ich wie ein Tiger im Dschungel, lachte ich. Ja, ich lachte plötzlich laut, um mich zu befreien. Aber die Beklemmung blieb. Würde ich wohl überhaupt den Mut haben, sie anzureden? Oder würde ich blöde sitzenbleiben und sie vorbeigehen lassen, endgültig vorbei? Immer wieder spielte ich mir die Szene vor. Ich war meiner Rolle sicher, nicht sicher – sicher, je nach den Wallungen meines Blutes.

Stille. Der Himmel schien nicht mehr so hoch und blau, ein Schatten fuhr kalt über den warmen Tag. Es war Zeit. Warum kam sie nicht? Das Geld fiel mir wieder ein, pfui Teufel! Ich wollte hier einem losen Mädchen auflauern, das ich nicht kannte, wollte mich sinnlos in fremdes Fleisch stürzen, ich erschrak vor mir selber. Und dann sah ich sie wieder vor mir, nicht das landstreicherische Dienstmädchen, nein, die schöne Barbarin, prall von Jugend und Gesundheit, ein lachendes, starkes Abenteuer. War dies nicht das Glück, das der Weiseste pries: Wollust ohne Reue!?

Wieder war die Stille groß am lautlosen, erdschwarzen Wasser. Warum kam sie nicht? Wenn sie hier nicht kam, mußte sie drüben gehen, jenseits des Flusses, über die Wiesen; ich konnte sie anrufen, sie würde stehenbleiben, ans Ufer kommen. Ich würde hinüberschwimmen, nackt, ein wilder Nöck, jagend auf weiße Nymphen.

Sie kommt nicht! Gut, daß sie nicht kommt. Gut! Es ist ausgeträumt, eine verrückte Geschichte, aber der Himmel hat mehr Einsehen als ich lüsterner Faun. Keine Rolle für mich! Haltung, elender Bursche! höhnte ich mich, Haltung hält die Welt!

Ich zog mich aus. Ich trat ins Wasser, der Boden war

schlammig. Kalt war es, sehr kalt. Ich stieß mich hinaus, ich tauchte tief in die Flut, ich schwamm und schwamm, stromauf, stromab; ich schielte noch auf den Weg, dann fror ich; erbärmlich kalt war der Main im September, an einem schier heißen Nachsommertag. Ich stieg wieder ans Ufer, zog mich an, ich klapperte mit den Zähnen. Auf tausend Umwegen suchte die Begierde den Weg zurück: Zähne – schöne Zähne hat sie, fiel mir ein, und ich mußte sie wieder verscheuchen aus mir, die süße, gefährliche Verlockung.

Es ist jetzt genug, ich gehe nach Banz hinauf. Ich zünde mir eine Zigarre an. Heute abend bin ich in Lichtenfels, morgen in Coburg, am Mittwoch in Nürnberg, am Donnerstag bin ich zu Hause. Eine schöne Reise, sehr viel Neues habe ich gesehen. Pommersfelden war eine Verzauberung, in Bamberg der Dom, der Reiter und die Justitia. Und heute Vierzehnheiligen . . . Banz . . .

Der prunkende Barock begann wieder zu leuchten, die Engel kamen wieder – und das streunende Dienstmädchen, es ist zum Lachen.

Ich ging weglos in den Wald hinauf, überquerte die Straße. Am Wirtshaus wollte ich nicht mehr vorbei, weiß der Teufel, vielleicht saß sie noch dort, und am Ende hat sie gar den Kerl hinbestellt, um sich zu verabschieden. War nicht so ein Bursche mir vorhin über den Weg gelaufen?

Der Wald war hoch von schlanken Buchen. Über den Wipfeln schimmerte blau das Licht, ich ging wie auf dem Grunde eines Meeres.

Dann stand ich droben, betrat den Schloßhof, bog auf die Terrasse hinaus. In weiten Wellen wogte das fränkische Land her bis an den grünen Wall von Bäumen. Drüben stand der Staffelstein, im Schatten seiner Wälder dunkelte Vierzehnheiligen. Das Licht war jetzt von leichtester Klarheit. Nur gegen Westen stieg der bunte Staub des Abends in den Himmel, über den weiten Wiesen, den Büschen, Gehölzen und Pappelreihen, dazwischen der traurige Strom, mattglänzend, sich hin und her wand, wie blind und tastend nach einem Ziel, immer wieder zurückgebogen, müde und schwer von schwarzem Wasser.

Dreimal war ich fortgegangen, dreimal kam ich wieder, ohne Kraft zum Abschied, den unersättlichen Blick in die immer tieferen Farben des Abends getaucht.

Dann ging ich unter den blanken Schwertern der sinkenden Sonne den lichtdurchblendeten Hang hinunter, waldhinunter, steilhinunter, wiesenlang, in die brennenden Fenster von Lichtenfels hinein.

Am Abend bin ich allein in der Wirtsstube gesessen, lange bin ich geblieben und habe den hellen, erdigen Frankenwein getrunken. Ich habe verschollener Würzburger Studententage gedacht und oft und oft das Glas gehoben zum Gedenken der Freunde, von denen so mancher seitdem vor Ypern oder Verdun geblieben war. Und auch der Frauen habe ich dankbar gedacht, schöner Tage und Nächte am dunklen Strom. Und weiß Gott, das Mädchen von heute mittag hatte ich fast vergessen. Ist doch gut gewesen, daß es anders gekommen ist . . . Nur ein leiser, im Weine schon schaukelnder Schmerz ist mir geblieben, wie bei allem Verlust. Und das letzte Glas habe ich auf die geleert, die nun wieder ganz rein und jeder Sehnsucht würdig vor mir stand, die zähneblitzende, furchtlose Wilde, die schöne Barbarin. Möge es dir gut gehen, nie berührte Geliebte, träumendes Abenteuer und zugleich armes Kind, mit deinen paar Pfennigen im Täschchen und mit dem Siegerlachen, das noch nicht weiß, wie gefährlich und schwer das Leben ist.

Ich habe tief und traumlos geschlafen in dieser Nacht und bin spät erst wieder aufgewacht. Vor dem Fenster lag noch milchweiß der Nebel, aber schon da und dort triefend vom warmen Gold. Es würde ein schöner Tag werden.

Ich bin hinuntergegangen zum Frühstück, und der Kellner, der mich gestern noch, ein gefallener Engel aus himmlischen Großstadtbetrieben, gelangweilt und geschmerzt, mit gramvollem Hochmut bedient hatte, war ganz munter und aufgeregt und begann unverzüglich zu fragen, der Herr seien doch auch gestern spazierengegangen und den Main heraufgekommen, und ob dem Herrn nichts aufgefallen sei. Natürlich, nein, denn sonst hätte der Herr ja Lärm geschlagen und Meldung erstattet, aber so sei es auf der Welt und nicht nur in den großen Städten, wo er, nebenbei gesagt, lange Jahre in ersten Häusern gearbeitet habe, nein, hier, in dem windigen Nest, ja, daß Menschen ermordet würden, mir nichts, dir nichts, im Wald, mitten auf dem Weg, nicht einmal Raubmord, nein, ganz gewöhnlicher Mord oder vielmehr höchst ungewöhnlicher, an einem Dienstmädchen, am hellen Tage, nein, kein Lustmord, nichts dergleichen, Eifersucht vermutlich, ja sogar ganz bestimmt Eifersucht, und der Täter sei schon gefaßt, jawohl, noch am späten Abend in seiner Wohnung festgenommen, eine erstaunliche Leistung für eine so harmlose Kleinstadtpolizei –.

Ich saß, aufs tiefste bewegt und ins innerste Herz getroffen, betäubt von dem Redeschwall des Geschwätzigen, der nicht ahnen konnte, wie nahe mir seine Nachricht ging vom schrecklichen Ende der schönen Barbarin, der wildbegehrten, die noch leben würde, ja, die jetzt wohl hier säße am Tische, wenn ich die Kraft gehabt hätte, das Abenteuer zu wagen, das sich so wunderbar geboten.

Und der Kellner, der meine Erstarrung für nichts als die gespannte Gier nach seinen Neuigkeiten hat halten müssen, hat mir nun eingehend berichtet, was er von dem Landjäger erfahren hat, der dem Mord auf die Spur kam.

Mainaufwärts, nicht weit von dem Wirtshaus bei der Fähre, hat die Kellnerin die Leiche gefunden, gestern am Nachmittag. Sie hat die Tote gekannt, Barbara hat sie geheißen und ist ein Dienstmädchen gewesen, nicht gerade vom besten Ruf. Die Kellnerin hat einen großen schelchäugigen Kerl vorbeistreichen sehen am Wirtshaus, und da hat sie eine Ahnung gehabt, der müßte doch der Barbara begegnet sein, die flußaufwärts hat gehen wollen, nach Lichtenfels.

Und dieser Kerl ist es auch gewesen, und es hat wenig Mühe gemacht, das herauszubringen. Das heißt: zuerst hat sich der Verdacht in anderer Richtung bewegt, weil man in dem Täschchen der Toten einen Bleistift gefunden hat. Aber der Spur hat man gar nicht nachgehen brauchen, denn die Barbara, die offenbar erst nach heftigem Widerstand erwürgt worden ist, hat in der verkrampften Hand einen Hirschhornknopf gehalten, einen ausgerissenen Knopf; und die Joppe, an der solche Knöpfe sind, ist dem Landjäger nicht ganz unbekannt gewesen.

Und an dieser Joppe hat auch der Knopf gefehlt, am Abend, als der Landjäger dem Mann den Mord auf den Kopf zugesagt hat. Der Täter hat auch gar nicht geleugnet, jawohl, hat er gesagt, ich bin's gewesen. Sonst hat er aber nichts gesagt, dem Landjäger nichts und dem Oberwachtmeister nichts. Doch, etwas hat er gesagt, aber es ist kein Mensch draus klug geworden, wen und was er gemeint hat: »Der Hund«, hat er gesagt, »hat sie wenigstens nicht mehr gekriegt!«

Und der Kellner hat mich gefragt, ob ich mir denken könnte, was da im Spiele sei; und ich habe gelogen und gesagt, nein, das könnte ich mir nicht denken.

Ich bin dann noch lange allein gewesen und habe gefrühstückt und mir eine Zigarre angezündet. Ich habe über alles nachgedacht.

Der Mann, der Mörder, der Täter, wird hingerichtet oder er kommt, wenn's Totschlag war, nicht unter acht Jahren Zuchthaus davon. Er hat dann auch, wie ich später gelesen habe, zehn Jahre Zuchthaus bekommen. Aber ich, der Nichttäter, ich bin frei ausgegangen, wie es sich gehört von Rechts wegen. Ich hatte mich ja nur leutselig mit einem fremden Mädchen am Wirtstisch unterhalten und ihr gönnerhaft einen Bleistift geschenkt.

Ich habe ja Angst gehabt vor dem gefährlichen Leben. Ich habe geschrien nach dem Fleische und bin doch zurückgeschreckt vor dem Dämon, der es durchglühte. Und ich bin damals, als der Unschuldige, mir erbärmlich genug vorgekommen, gedemütigt vor der wilden und unbesonnenen Kraft des gewalttätigen Burschen.

An jenem Morgen aber, und es wurde ein milder, blauer Tag, wie der vor ihm, war ich schon willens abzureisen, sofort nach Hause zu fahren, weg von diesem Ort, heraus aus dem lächerlichen und zugleich grauenhaften Abenteuer, das keines war.

Aber plötzlich ließ ich, der ich schon auf dem Bahnhof stand, den Koffer zurückbringen, vom dienstbeflissenen Hausknecht, und ich bin an dem Tag noch einmal nach Vierzehnheiligen gegangen. Ernst, und wenn das Wort gelten darf, fromm und als ein Wallfahrer. Die Kirche dröhnte ihr steinernes Gloria in excelsis so jubelnd wie am Tage vorher. Ich schritt um den Gnadenaltar. Ich sah die Engel fröhlich über bunten Baldachinen und sah Kerzen hoffend und bittend aufgesteckt vor lächelnden Märtyrern. Und da ging ich hinaus und tat, was ich noch nie getan hatte, ich kaufte bei einem alten Weiblein eine Kerze.

»Gel«, wisperte sie, »ein junges Mädl hat gestern einer umgebracht. Wie nur die Mannsleut gar so wild sein können. Bloß, daß sie der andere nicht kriegt, soll er sie kaltgemacht haben. Da hat er was davon, wenn sie ihn jetzt hinrichten«.

»Ja«, sagte ich freundlich, »was hat er davon . . .« Und unter den blinden Augen der alten Frau habe ich plötzlich gezittert, es war mir, als käme all das Furchtbare noch einmal auf mich zu; aber dann war es verschwunden.

»Welchem von den vierzehn Nothelfern soll ich jetzt diese Kerze weihen?« fragte ich, mehr um etwas Ablenkendes zu sagen. »Ja, mein lieber Herr«, überlegte sie bekümmert, »das kommt ganz darauf an. Der heilige Blasius ist gut für den Hals, und die heilige Barbara hilft gegen jähen Tod.«

»Das ist in beiden Fällen zu spät«, sagte ich, wehrlos gegen den grausen Humor, der in mir übersprang. Für ein Mädchen, das gestern erwürgt worden ist, dachte ich schaudernd. Dann trug ich die Kerze in die Kirche. Barbara ... mit einemmal, jetzt erst kam mir die Wortverbindung – hatte ich nicht das Mädchen bei mir die schöne Barbarin genannt? Und ich entzündete das Wachslicht vor dem weißgoldenen Bildnis der Heiligen. Und sagte einfältig ein Vaterunser. Draußen sah ich jenseits des Tales, über dem weiten Wald, die Türme von Banz. Und dort unten, am Fuß des Berges, wo die sonnigen Wiesen an die dunklen Schatten des umbuschten Hügels stoßen, muß der Main fließen, still, traurig und schwarz, wie gestern, wie vor Jahren, wie immer. Da muß auch das Wirtshaus stehen, am Wasser, mit der Fähre dabei und dem Stück Weg ...

Noch einmal, einen Herzschlag lang, wartete ich in quellend süßer Angst und purpurner Begierde auf das Abenteuer; wartete auf die blitzenden Zähne und den gefährlichen Rausch jener gleichen Stunde – gestern.

Und liebte, in diesem Augenblick, dieses fremde junge Weib so tief und so wahr, daß mir die Tränen in die Augen stiegen, daß ich schwankte unter einer jähen Last von Glück und Sehnsucht.

Dann war alles vorbei. Von der Kirche her schlugen die Glocken, ich ging eilig zu Tal.

Gegen Abend bin ich mit dem Schnellzug geradeswegs nach Hause gefahren. Ich bin, ein fremder Fahrgast, unter anderen fremden und abweisenden Leuten in meinem Abteil gesessen, bin in den Speisewagen gegangen, habe geraucht, mich gelangweilt, schließlich habe ich in einem fränkischen Provinzblatt, das ein Herr neben mir liegengelassen hatte, die erste, kurze und falsche Mitteilung von einem Mord bei Banz gelesen, so kalt, als hätte nicht beinahe, auf Spitz und Knopf, ich selber eine Hauptrolle dabei gespielt ...

Der Fischkasten

Zur Einweihung der neuen Innbrücke war auch der Regierungsrat Gregor Hauenstein von seiner Dienststelle beordert worden. Er war ein gebürtiger Münchner, aber seit vielen Jahren in Berlin beamtet; so freute er sich doppelt des Auftrages, der ihn, mitten im Juli, für zwei Tage in die alte kleine Stadt führte, an die ihn so manche Erinnerung seiner Knabenzeit knüpfte.

Lange nicht mehr hatte er sich so jung und vergnügt gefühlt wie an diesem Sommermorgen, als er in Rosenheim den Schnellzug verließ. Im Angesicht der Berge spazierte er auf dem Bahnsteig hin und her, wie ein Rabe im schwarzen Rock, die Schachtel mit dem hohen Hut schlenkernd an einem Finger, belustigt über seine eigene Würde, die es freilich erst morgen voll zu entfalten galt, beim festlichen Marsch über die neue Brücke, unter Fahnen und Ehrenjungfrauen.

Warum er den Hut so herumtrug, wußte er selber nicht. Er hätte ihn bequemer zu dem kleinen Koffer gestellt, den er schon in dem altväterischen Abteil zweiter Klasse untergebracht hatte, in dem er, nach einer halben Stunde Aufenthalt, die Fahrt fortsetzen würde.

Der Regierungsrat, seit dem Verlassen des D-Zuges wie um ein Menschenalter zurückverzaubert, war in wunderlichster Stimmung. Es gelang ihm heute nicht, sich und seine Sendung ernst zu nehmen, er spöttelte wider sich selbst, er stellte, endlich, die Schachtel mit dem Zylinderhut in das Gepäcknetz, turnte wie ein Schulbub am Wagen herum, bekam schwarze Finger und wusch sie sich am Brunnen.

Er ging wieder auf und ab, schaute über die Gleise auf den Wendelstein, der leichter und leichter ward im blaugolden steigenden Tag, sah auch in die sommergrüne, warm werdende Straße hinaus, die zum Bahnhof führte, und erinnerte sich, daß er vor fünfundzwanzig Jahren wohl – oder war es noch länger her? – als Bub mit dem Radl da angesaust war, abgehetzt von drei Stunden verzweifelten Tretens, und doch um einen Augenblick zu spät, denn der Frühzug fuhr gerade an, ihm vor der Nase weg.

Ja, vor der Nase weg, und viele Anschlüsse hatte er versäumt seitdem, und wohl wichtigere, aber vielleicht war ein versäumtes Leben, aus den Sternen gesehen, nicht schlimmer als ein Zug; und sein Leben hatte er ja nicht versäumt, durchaus nicht, er hatte auch Anschlüsse erreicht, mühelos und pünktlich. Und nächstes Jahr wurde er wohl Oberregierungsrat.

Der Reisende kam unversehens dazu, darüber nachzudenken, wie es ihm denn gegangen sei in diesen fünfundzwanzig Jahren, die zusammen mit den fünfzehn, die er damals alt war, gerade vierzig machten, ein schönes Alter, in dem das Leben erst anfange, wie es jetzt so gerne gepredigt wurde.

Nein, dieser Ansicht war der Reisende durchaus nicht. Er hielt es mit der bedächtigeren Weisheit, daß ein Mann mit vierzig Jahren wissen müsse, wo er sterben wolle. Sterben, das war nicht so gemeint, daß er sich nun gleich hinlegen müßte, nein, gewiß nicht; aber den Platz aussuchen, das sollte einer, wenn er nicht ein heimatloser Glücksjäger war, den Rastplatz, von dem aus ein Blick erlaubt war auf das wirkliche Leben und auf den wirklichen Tod.

Jeder Dorfschreiner hier unten hat ihn und jeder Bahnwärter, dachte er, und er träumte sich fort von dem ruhelosen Schattenleben der großen Stadt; ein Jäger und Fischer hatte er werden wollen, wie er ein Bub war, und ein Aktenstaubschlucker in Berlin war er geworden.

Noch einmal über seine Jahre hinschweifend, kam der Mann zu dem Ergebnis, daß es ihm, was das äußere Dasein anbelangte, schlecht und recht ergangen sei. Doch vermochte er sich selbst über sein eigenes, tieferes Leben wenig zu sagen; er mußte bekennen, daß er den gültigen Standpunkt verloren oder noch nicht gefunden hatte, und daß er nicht wußte, was wohl überhaupt zu fordern und zu erwarten war.

Wenn es nichts mehr gab, wenn wirklich alles ausgeschöpft war, dann jedenfalls hatte er genug. Dann hatte er die Schicht durchmessen, innerhalb derer zu atmen erlaubt war; und weiter vorzudringen, hinauf oder hinab, hinaus oder hinein, war ein tödliches Wagnis. Denn an ein Ziel oder nach Hause würde er doch niemals kommen.

Der Regierungsrat, immer noch hin und her gehend, wurde es müde, Fragen zu stellen, auf die noch niemand je eine Antwort erhalten. Ihm fiel das alte Wort ein, daß die Gescheitheit lebensgefährlich sei, weil man verdorre an ihr, und daß einer, der sich feucht und frisch erhalten wolle, von Zeit zu Zeit in die tiefsten Brunnen seiner Dummheiten fallen müsse. Brunnen wohl, dachte er weiter, aber in den reißenden Strom? Und er entsann sich der vielen Altersgenossen, die in den Wirbeln wild strudelnder Jahre versunken waren. Und wer weiß, wohin noch alles treibt. Vielleicht würde auch er noch einmal, sowenig ihn danach verlangte, beweisen müssen, ob er schwimmen könne.

Endlich polterte die Maschine an. Ein paar Leute waren noch zugestiegen, lauter Bauern und Händler; niemand mehr kam in das Abteil zweiter Klasse. Der Zug fuhr auf dem gleißenden Schienenstrang in die Landschaft hinaus, die nun schon weiß war vor Hitze. Die Berge wurden dunstig, nahe grelle Bauerngärten, wehende reifende Felder, gelb und schwer, dazwischen die graugrünen, moosbraunen Streifen Gebüsches, die den Fluß säumten, der mit schnellen, hellen Blitzen unter der zitternden Sommerluft hinschoß. Nadelspitze Kirchtürme, wie Minaretts, standen auf der jenseitigen Höhe, die warm im Walde wogte. Das war vertrautes Land; das mußte Griesing sein da oben. Und jetzt rollte auch der Zug schon in die letzte Biegung, seidiger Flatterwind umbrauste den spähend hinausgebogenen Kopf, dann war der Bahnhof von Oberstadt zu sehen und das Städtchen selbst, flußabwärts auf der Höhe. Der Zug hielt, niemand stieg aus als der Regierungsrat Gregor Hauenstein; niemand empfing ihn: der rotbemützte Vorstand gab gleichmütig das Zeichen zur Weiterfahrt.

Es war noch nicht Mittag. Der Regierungsrat überlegte, im prallen Licht des öden Platzes stehend, daß nicht nur der Weg in das Städtchen hinauf heiß und staubig sein müßte, sondern daß es auch unklug wäre, sich jetzt schon den ehrenfesten Männern auszuliefern, die ihm mit allerlei Bitten und Beschwerden auf den Leib rücken würden, da ja ein Vertreter der höchsten Amtsstelle nicht alle Tage zu ihnen kam. Er blieb also unten, fand den Wirtsgarten des Gasthofs »Zur Eisenbahn« erträglich, aß, und nicht ohne wehmütigen Humor, das klassische bayerische Gericht, ein Kalbsnierenstück mit Kartoffelsalat, und trank, im Schatten der Kastanien, ein Glas hellen Bieres.

Er gedachte eine Wanderung zu machen und ließ sich von der Kellnerin erzählen, daß ein Stück flußaufwärts eine Fähre sei. Dort könne man übersetzen, finde drüben ein Wirtshaus und, hundert Schritte weiter oben, ein Kloster mit einer schönen Barockkirche. Von da aus führe ein Sträßlein über die jenseitigen Höhen wieder stromab, dergestalt, daß man bei der neuen Brücke drunten wieder an den Fluß komme. Sie selber sei da drüben noch nicht gewesen, aber die Leute sagten, es wäre ein lohnender Weg.

Der Regierungsrat machte sich auf und ging zuerst über die flirrenden, grillenschrillen Felder und Wiesen. Sein Gepäck hatte er einem Buben gegeben, der es in den »Goldenen Krebs« hinaufbringen sollte, wo ein Zimmer bereitgestellt war. Er konnte also ausbleiben bis in den späten Abend, und das wollte er auch. Ärgerlich war nur, daß er so gar nicht aufs Wandern und Herumstreunen eingerichtet war, im schwarzen, bis an die Kniekehlen reichenden Rock, wie der Herr Pfarrer selber mußte er aussehen; und heiß war es ihm, der Schweiß brach ihm aus, und das Glas Bier hatte ihn schläfrig gemacht. So schritt er unterm Feuerblick der Sonne hin.

Er überquerte das Bahngleis, das schnurgerade vom Süden heraufkam, den Damm, von Schabenkraut und Natternkopf dicht bewuchert. In einen Abzugsgraben sprangen viele Frösche, einer nach dem andern, so wie er das Wiesenweglein entlang ging. Das war ein schöner, wahrer Bauernsommer, echter als da drüben im Gebirge, wo es kein Querfeldein mehr gab, sondern nur noch Straßen, Zäune, Gaststätten und Verbotstafeln.

Er kam wieder auf ein zerfahrenes Sträßlein, blau von Wegewarten. Eichen standen mächtig im Feld, im kräftigen, tausendblumigen, gräserstarren, lichtgekämmten, glühenden Feld. Und dann hörten die süßen Wiesen auf und es begannen die sauern, mit Bärenklau und Disteln und Weiderich; und schilfige Gräben zogen herein.

Sand war jetzt überall auf den Wegen, ganz feiner Sand; es roch nach Verfall und fischigem Moder. Die Auenwälder, die von weither im leichten Triller der Pappeln und Weiden weißgrün und bläulich geblitzt hatten, taten sich mit dumpfer schwärzlicher Schwüle auf, Erlen standen an finsteren Sumpflöchern, Brombeersträucher überwucherten den Sand, Minze wuchs in wilden Büscheln, Nesseln und Schierling waren da und viel Gestrüpp und Gewächs, das er nicht kannte.

Das Dickicht, von Waldreben geschnürt und übersponnen, ließ nur den schmalen Pfad im Sand, geil drängte von überallher das schießende, tastende, greifende Strauchwerk, von Lichtern durchschossen, von fremden Vögeln durchschwirrt. War diese Wildnis noch Heimat? Ja, sie war es und war es doch wieder nicht, tropisch schien sie dem erhitzten Mann, der im schwarzen Gewand, gebückt, von Dornen gepeitscht, durch diese kochende, brodelnde, flirrende Dschungel dahintrabte. Gestürzte Bäume verwesten in schwarzen Strünken, Morast, trügerisch und übergrünt, vergor altes Laub, nirgends war eine Stelle, um zu rasten. Ameisen krochen eilig über den Sand, Käfer kletterten im Gras, das Wasser bewegte sich von Egeln und Larven, Läufer ritzten die dunkle Fläche. Und die Schnaken, heransingend, stachen gefräßig dreist, in Wolken stoben die Mücken auf, schillernde Fliegen brausten flüchtend vom Aas.

Es war ein unsinniger Plan, in der vollen Hitze eines Julimittags hier einzudringen in das verruchte Gehölz, ein höllisches Vergnügen, mit steifem Kragen und im Bratenrock eine afrikanische Forschungsreise zu unternehmen. Aber nun mußte doch bald der Fluß kommen!

Der Weg stieß jedoch wieder tiefer in den Busch. Dann erst kam ein Altwasser, still, schwarz, schweigend, mit steilen Böschungen. Der Stand war niedrig, lange hatte es nicht geregnet, auf dem Sand war die Höhe der letzten Flut in einem Ring von Schlamm und Schwemmgut abgezeichnet. Der Regierungsrat war, sobald er des dunklen Spiegels ansichtig geworden, wie verwandelt. Die unterste Gewalt des Menschen hob sich empor. So wie er da hinstrich, das morsche Ufer entlang, im lächerlichsten Aufzug, war er ein Wilder, spähend, beutegierig, aufgeregt von der Leidenschaft: hier mußten Fische stehen! Gleich würde er einen Hecht erblicken, steif lauernd, unbewegt, das Raubtiergebiß vorgeschoben, mit leichten Flossen tückisch spielend – und dann würde der davonjagen, ein grüngoldener Blitz, ins schwankend fette Kraut.

Der wunderlich verzauberte Mann lief, sich eine Gerte zu schneiden; was, Gerte, einen Speer, eine Waffe wollte er haben, blinkend sollte die ins Wasser fahren, den Hecht zu treffen, und wär's nur, daß eine Schuppe sich silbern löste zum Zeichen des Sieges. Und er schnitt, nach langem Suchen, einen schlanken jungen Eschenstamm aus dem Unterholz, einen kühlgrauen, kerzengeraden.

Es stand aber kein Hecht da, und dort stand auch keiner, nirgends war die Spur eines Fisches zu entdecken. Und als der Lüsterne sich über das von Erlen bestandene Ufer beugte, ob unterm Wurzelwerk nicht stachlige, dunkelrückige Barsche auf- und niedersteigen wollten in den Gumpen, da wäre ihm ums Haar die Brieftasche entglitten. Waldläufer und Fischer, dachte er, noch den Schrecken im klopfenden Herzen, hatten keine Ausweispapiere und Geldscheine in der Tasche, sonst wäre auch ihnen die Tunke teurer zu stehen gekommen als der Fisch.

Indes kam aber ein leise zischendes Rauschen immer näher, und unversehens stand der Pfadfinder am Strom, der weiß herschoß, milchtrübe, denn in fernen Bergen hatte es wohl geregnet, und das Wasser ging hoch.

Der Inn war an diesem Ufer eingebaut in mächtige Blöcke, daran der Fluß seine Flanken rieb. Vom Grunde her scholl ein geheimnisvolles Klirren und Klimpern, der Kies zog mit im Geschiebe, und oft schien von unsichtbaren Stößen und Schlägen das Wasser zu bersten, und es blühten dann seltsame, mit Kraft geladene Wolken von Schlamm auf in der klareren Flut.

Zwei Fischreiher duckten sich, mit schweren Schwingen aufzufliegen. Der Anblick der schönen, mächtigen Vögel machte das Herz des Mannes jubeln. Engel, dachte er, mit ihren Fittichen zur Sonne steigend, könnten keines glückhafteren Paradieses Boten sein. Denn dies, in diesem Augenblick, war ihm Begegnung mit der Freiheit.

Gregor Hauenstein zog sich rasch aus, es war ihm, als bedürfe es nur dieses Kleiderablegens, um einzutreten in den Zauberkreis. Und wirklich stand er eine Weile nun nackt, von Lüften leicht berührt, von der Sonne kräftig getroffen, in der gläubigen Seligkeit, drinnen zu sein, einverstanden mit der Natur.

Aber es wurde rasch deutlich, daß er kein nackter Mann war, sondern doch nur ein ausgezogener Beamter, der auf dem rauhen Steingrund kaum zu gehen vermochte und der bei dem Versuch, ins Altwasser zu kommen, auf den erbitterten Widerstand dieser herrlichen Natur stieß. Was Sand geschienen hatte, war knietiefer Morast, von dornigem

Strauchwerk und krummfingrigem Geäst tückisch durchsetzt, so daß er, nach wenigen schmatzenden und gurgelnden Schritten, sich zur Umkehr gezwungen sah. Auch fielen, sobald er die frische Brise am freien Strom verlassen, die Mükken und Bremsen mit schamloser Begierde über ihn her. In den reißenden Inn aber wollte er sich nicht hinauswagen, und schließlich begnügte er sich, an einen Pfosten geklammert, sich von den kalten, weißgrünen Wellen bespülen zu lassen.

Dann setzte er sich auf eine Steinplatte und gedachte, noch lange zu ruhen und zu rauchen; alte Knabensehnsucht gaukelte ihm Wigwam und Friedenspfeife vor, Lagerfeuer und Indianerspiele im Busch; und die Squaw? erinnerte er sich mit leisem Lächeln, und es kam ihm in den Sinn, wie wenig Glück er bei Frauen gehabt hatte. Er war Junggeselle geblieben, ohne viel Bitterkeit, aber auch ohne viel Kraft zum Abenteuer; nicht so sehr frei, als vielmehr preisgegeben, hatte er gewartet, ohne etwas zu erwarten. Wartete er eigentlich noch? Die Unrast, die den Einzelgänger immer befiel, sobald er zu lang untätig mit sich allein war, trieb ihn auch jetzt wieder fort. Er schlüpfte in sein Gewand; nur den Kragen und den Schlips trug er nun in der Tasche. Seine Lanze aber wollte er nicht missen.

Näher, als er hatte vermuten können, durch eine leichte Krümmung des Stromes verstellt, lag die Fähre vor ihm. Welch ein abenteuerliches Gebilde, urtümlich, eine vorweltliche, glückhafte Erfindung des Menschen – und doch aller Sünde Anfang, wie er zugeben mußte. Denn der Weg von ihr zu den kühnen und doch so verderblichen Bauten unserer Tage war nur ein kurzer und folgerichtiger, dem gleichen Willen entsprungen, die Freiheit der Natur zu knechten.

Hoch im Geäst einer einsam ragenden, zornigen Silberpappel war das Seil verschlungen, das hinüberlief zum andern Ufer, wo es in der Steilböschung verankert war. Bis an die heftige Strömung des Rinnsals aber führte ein hochgestelzter, nur aus schwanken Stangen geknüppelter Steg, der mit einem Leiterchen endete, das zu einem Ländefloß hinabstieg, an dem die Fähre selbst anlegte. Drüben trat ein gebückter Mann aus einem Hüttchen, grauhaarig, bärtig, schaute herüber und nickte. Er nahm eine lange Stange von der Wand und ging zum Fluß hinunter. Der Wartende sah ihn in den Kahn steigen, doch erschien im gleichen Augenblick drüben ein buntes Mädchen und rief und winkte, daß der Fährmann warten solle. Der machte dann auch mit seinen langen, krummen Armen ungemein lebhafte Bewegungen, die alles andeuteten, was zu sagen und zu denken war: Entschuldigung heischend, zur Eile antreibend zugleich.

Nun war das Mädchen untergebracht, die Fähre glitt herüber und landete. Über das Leiterchen zu gelangen, war offenbar nicht leicht; der Regierungsrat, der behilflich sein wollte, stand gefährlich im Wege, beinahe hätte das Mädchen ihn vom Stege gestoßen: er mußte sich mit den Händen an sie klammern, denn er schwankte schon. Sie erröteten beide unter der unfreiwilligen und doch derben Umarmung, Wange an Wange.

Dann aber, unter Lachen, endete die Begegnung; der Fahrgast stieg ein, und still löste sich die Zille vom Floß. Die Wellen kamen her, in Wirbeln ums schaukelnde Schiff, und der Ferge hob bedächtig die Stange. Das Fahrzeug trieb nun rasch, in der Mitte der Strömung, die Rollen am Seil blieben zurück, liefen wieder voraus, rasselten, sangen einen hellen Ton. Jetzt, gegen die Sonne, kam das Wasser leicht klirrend wie Scheiben Goldes.

Der Gast wie der Fährmann schwiegen; es war das uralte Geheimnis der Überfahrt zwischen ihnen. Dann stieß der Kahn knirschend an den Kies des seichten Ufers.

Nun, während er ihn reicher, als es seine Pflicht gewesen wäre, entlohnte, fragte der Fremde doch einiges, was man so fragt, aber mit besonderer Begierde, ob denn auch noch Fische im Inn wären und was für welche. Der Fährmann, mit der Hand wie verächtlich auswischend, meinte, Fische, ja, grad genug, Fische gäbe es im Inn, sehr viele, viele – aber, wie plötzlich sich besinnend, als hätte er von alten Zeiten geredet, schüttelte er bedenklich den Kopf: viele eigentlich nicht mehr, gegen früher. Da sei es noch ein gutes Handwerk gewesen, die Fischerei. Jetzt aber, nun, es wären noch Huchen da, Aschen, Weißfische und im Altwasser Hechte, armlange Trümmer, und der Loisl drunten – und er wies stromabwärts – habe erst gestern zwei gefangen, und einen mit dreizehn Pfund.

Der Regierungsrat ging den Waldhang hinauf, der von einem Bach aufgespalten war, der hier in den Inn mündete. Das Wasser, schwärzlich und golden, von fetten Strähnen grellgrünen Schlinggewächses durchzopft, schimmerte herauf und war bis zum Grunde klar. Der Wanderer spähte unverwandt, aber er stellte bekümmert fest, daß auch hier keine Fische zu sehen waren.

Auf halber Höhe stand ein Gasthaus; drinnen war Musik, erhitzte Tänzer traten mit ihren Mädchen heraus, wo an laubüberhangenen Tischen ältere Männer tarockten. Er ließ sich ein Glas Bier bringen und sah dem nächsten schielend in die Karten. Der aber verlor und verlor, warf sogar bald verdrießlich das Spiel hin und ging davon. Und wunderlicher Weise empfand auch der Zuschauer die widrige Laune des Glücks mit Mißbehagen, als hätte sie ihm selber gegolten. Er stand auf und streunte herum.

Das Rumpeln der Kegel zog ihn an, aber als er wie beiläufig in die Bahn trat, verstummte augenblicklich der muntere Lärm, um in schallendem Gelächter wieder hervorzubrechen, kaum daß er das luftige Häuschen verlassen hatte. So galt er denn hier für einen komischen Kauz, den sie nicht mitspielen ließen.

Mehr Erfolg hatte er, als er kurz darauf, gegen den Bach und eine nahe Mühle gewendet, zwei Männer gewahrte, die mit Feuerstutzen nach einer Scheibe schossen, die weit drüben, über der Schlucht, matt schimmerte. Der Zieler wies gerade mit seinem Löffel einen Zehner auf, doch der Schütze schien nicht zufrieden, er schüttelte verdrossen den Kopf. Er fragte den gespannt zuschauenden Fremden, ob er auch vom Schießen was verstünde. Und reichte ihm ermunternd die Büchse, die er wieder geladen hatte, zum Ehrenschuß.

Seit dem Kriege hatte der jetzt Vierzigjährige kein Gewehr mehr in der Hand gehabt; nun ergriff er es mit Begierde, hob es an die Wange und suchte das Ziel. Schon aber hatte er den feinen Stecher berührt, der Schuß fuhr hinaus, verdutzt starrte der Schütze nach. Er wollte gerade einiges zu seiner Entschuldigung vorbringen, da scholl von drüben ein lauter Juhschrei, und auf der steigenden Scheibe hielt der Zieler mitten ins Blatt. Mit schweigendem Lächeln gab der Regierungsrat den Stutzen zurück.

So belanglos dieser Treffer sein mochte, plötzlich erschien er ihm als kraftvoller, geisterstarker Widerhall des Glücks, als Antwort angerufener Mächte, die uns unvermutet ihre gefährliche und zugleich tröstende Gegenwart künden wollen. Und es war, als hätte der hallende Schuß letzte Nebel zerstreut vor einem bewußten und frohen Auf-der-Welt-Sein. Ein freier und freudiger Mensch, ging der Gast nun weiter, nicht ohne seinen Gertenspeer wieder aufgenommen zu haben, den er an die Wirtshaustür gelehnt hatte.

Er sah im Vorbeigehen Ställe, roch Pferde. Vom grellen Hof birschte er sich, wie beiläufig, durch das nur angelehnte Gitter in die braune Dämmerung der Boxen. Ein mächtiger, starkknochiger Wallach stand in der ersten und wandte schwerfällig den alten Kopf. In den nächsten Ständen aber, kleiner als der ungeschlachte Riese, stampften junge Stuten, von gutem Schlag, glänzenden braunen Felles. Erregt witterten sie den ungewohnten Besucher. Der hatte kaum im Zwielicht sich zurechtgefunden, als auch schon ein mißtrauischer Knecht hinzutrat und unwirsch fragte, was der Fremde hier wolle. Der aber, statt einer geraden Antwort, wies auf das große, rotgewürfelte Tuch, das der Knecht um den Kopf geknüpft trug, und fragte dagegen, ob er Zahnweh habe. Aufgehellt von solcher Teilnahme, gab der Mann gern Auskunft über seine Schmerzen und ließ sich leicht in ein Gespräch über die Landwirtschaft und die Pferde ziehen. Ob sie fromm seien, oder ob sie ausschlügen, wollte der Regierungsrat, wie nebenbei, wissen, indem er näher an die Stände trat. Der Liesl sei nicht zu trauen, meinte der Knecht, aber die Eva sei sanft wie im Paradiese.

Damit wandte er sich vorerst von dem Fremden ab, um seinem Stalldienst nachzugehen. Der Fremde aber, in einer unbeherrschten Lust, das schöne Tier zu liebkosen, ging auf das Pferd zu, das ihm als gutmütig bezeichnet worden war. Rosse! dachte er voller Sehnsucht und träumte sich in eine heldische Landschaft, drunten, am Fluß, unter einem sonnenzerstoßenen, rauchenden Regenhimmel, im grünen Sprühen der nassen Bäume und Büsche dahintrabend, schäumend vor Lust, zu leben und schweifend hinzustürmen, fremden, edleren Göttern untertan.

Im gleichen Augenblick aber drängte die schlimme Liesl ungebärdig nach hinten und schlug mit beiden Hufen nach dem Vorübergehenden. Er konnte mit genauer Not noch zur Seite springen und stand nun, zitternder Kniee, an den hölzernen Verschlag gedrückt. Der Knecht lief herzu und machte ein finsteres Gesicht. Kleinlaut, mit einem scheuen, wie verzichtenden Blick auf die Tiere, schlich der Eindringling hinaus.

Es war nichts mit dem Traum, höhnte er sich selber; die edlen Götter wollten ihn nicht in ihren Diensten sehen. Und während der Schrecken jetzt erst, in hämmernden Schlägen des Herzens, von ihm wich, überlegte er die Gefahr, die ihm gedroht hatte. Aber: »Beinahe gilt nicht«, rief er kühn sich selber zu und schloß, ruhigeren Atems, den Kreis des Lebens über einem Abgrund von Gedanken.

Inzwischen war er an der Kimme des Hügels angekommen und sah flußabwärts, in Wiesen gebettet, das Kloster mit der Kirche liegen. Ich will nicht länger fremden Göttern dienen, lächelte er, dem sanften Gotte meiner Kindheit will ich mich beugen. Und schritt den Hang hinunter. Den Gertenspeer aber trug er immer noch in der Hand.

Jetzt lehnte er ihn an die Pforte und trat in die Kirche. Kühl, schweigend, in buntem Zwielicht lag der Raum. Etwas war darin, wie das Schwirren der vielen Instrumente eines großen freudigen Orchesters. Bist du bereit, o Seele?, schien es zu fragen, gleich können wir mit der himmlischen Musik beginnen. Und er saß im Gestühl, und es begann das Spiel. Ohr ward in Auge verwandelt, und das Auge vermochte zu lauschen: wohin er sah, sprangen die Töne auf, jubelnd, in goldnen Kanten steigend, in eigenwilligen Schnörkeln entflatternd, zu starken Bögen gebunden. Sie sprangen über das hundertfarbene Gewölbe der Heiligen; da sangen blasse Büßerinnen und durchscheinend Verklärte; und bärtige Bässe mischten sich in die Lobpreisung. Aus der höchsten Laterne aber, darin der Geist als Taube schwebte, fuhr der Klang wieder herab, in den fleischernen Jubel der Engel und Putten, in den schweren Prunk der gebauschten Baldachine, in die goldnen Strahlenblitze der Verzückung. Zimbeln, Flöten und Trompeten, in Bündeln in die Chorbrüstung geschnitzt, wie Kinderspielzeug an den Altären aufgehängt, fielen silbernen Klangs mit ein, und von den Lippen jubelnder Märtyrer brauste des Dankes klare Verkündung.

Nun aber ward solcher Wohllaut geheimnisvoll durchstoßen von wirklichem Orgelton. Und es erscholl ein leiser Gesang, aber so hauchend er schien, er erwies sich mächtiger als der jauchzende Braus. Es waren die Nonnen des Klosters, die sangen, hinter den weißen und goldenen Gittern, aus einer anderen Welt.

Die süßen Pfeifen der Orgel, die zarte, eintönige Trauer des Gesanges weckte auch in dem Lauscher das trunkene Lied, das in des Menschen Brust schläft, tief drunten bei den letzten Ängsten und bei der letzten Seligkeit.

Dies war freilich nur im Augenblick, daß seine zerspaltene Seele zusammenglühte zu einer brennenden Flamme der Liebe. Wir sind ja längst alle Waisen, dachte er, in schmerzlicher Ernüchterung; eine ganze Welt hat keinen Vater mehr. Dies ist ja Grabgesang und wehende Luft aus Grüften. Gesang und Orgelspiel endeten. Die Wände und Säulen waren stumm geworden, die Verzückung der Heiligen schien erstarrt. Blaugoldene Dämmerung füllte den Raum. Rasch brach der Einsame auf.

Auch draußen war nun schon später Nachmittag. Warmes Gold floß durch die Wälder her, die Bäume warfen lange Schatten auf die Wiesen. An der Kirchenpforte lehnte noch der Gertenspeer. Der Regierungsrat, veränderter Stimmung voll, war unschlüssig, ob er ihn mitnehmen sollte, denn er gedachte, seinen Ausflug nun gesitteter zu vollenden, auf dem Sträßlein geradeswegs gegen die neue Brücke hin zu wandern und zum Abend im Städtlein zu sein; er sah sich schon beim »Goldenen Krebs« sitzen, im Wirtsgarten oder auch in der Stube, beim frischen Bier, und die Speisenkarte vor sich ausgebreitet, aus der er, gar wenn er rechtzeitig kam, nach Herzenslust wählen konnte. Nun griff er doch nach der Lanze, er war fröhlich, ohne recht zu wissen, warum, er sang ein wenig vor sich hin, dummes Zeug, die Speisenkarte setzte er in Töne, kräftig ausschreitend, leicht in der mild wehenden Kühle, einig mit sich selbst, gesund, in jener herrlichen Spannung des Hungrigen und Durstigen, der weiß, der ganz sicher weiß, daß sein Verlangen gestillt wird, ja, der seine Sinne schon reizen darf, um sie desto feuriger in den Genuß zu entlassen. So marschierte er hin und hatte rasch die Höhe erreicht, die ihm einen letzten Rundblick bot, ehe das Sträßlein, waldhinunter, gegen Brücke und Stadt sich wandte.

Die Brücke war auch von hier aus nicht zu sehen, eine schwarzgrüne Wand von Tannen verbarg sie. Aber die Stadt drüben hob sich schön und schier feierlich ins schräg einfallende Licht. Auch vom Flusse war nun die ferne Herkunft zu erblicken, gleißend, wie von verstreuten Waffen, lag es im Sand und Gebüsch. Das nahe Ufer aber, von schütterem Wald verstellt, blinkte nur ungewiß aus grünen Schluchten her.

Hügel um Hügel schwang sich im Süden den Bergen zu, die ihren mächtigen Bogen auftaten, zauberklar, nahe, wie sie den ganzen Tag nicht gewesen. So wie das Licht die Hügelkämme, die Wälderhöhen und die Gipfel traf, hatten sie ihren besonderen Widerschein, ihre eigene Verschattung. Im Sinken der Sonne blitzten, lösten sich Halden in sanften Dunst, glühten Felsenzacken in scharfen Kanten. Gegen Westen aber, in das Lodern des Gestirns hinein, hob sich, Welle um Welle, das Land in unbegreiflicher Überwerfung, in immer dünnere, zartere Gebilde aufgeblättert, in den Taumel der Verzückung, bis der letzte Scheitel, nach hundert wilden, ausgebrannten und wie von Rauch allein noch bewahrten Farben, veilchenblauen, eisenbraunen, weinroten, in den zartweißen Duft verhauchte, mit dem sich das Land an die flammende Schwermut des unaufhaltsam stürzenden Tages hingab.

Der Wanderer, auf seinen Speer gebogen, genoß dies Schauspiel lange. Er stand, bis ihn, vom westlichen Hügel her, die Schatten trafen, bis die Ränder des Himmels, in giftigere Farben getaucht, einschmolzen, bleiern erkalteten, und bis, hoch in Lüften, auf blassem Federgewölk, die weiße Stille dahinfuhr.

Er riß sich los. Und morgen muß ich nach Berlin zurück, dachte er, und es war ihm wie damals vor vielen Jahren, als die Front ihn unerbittlich zurückforderte aus den seligen Händen der Heimat. Der Tag hier war ein Traum gewesen, Berlin hieß die Wirklichkeit. Aber noch einmal, wie ein Schläfer vor dem Erwachen, barg er sich in den holden Trug schweifender Gedanken: wie er hier hausen wollte im wilden Wald, ein Jäger, ein Schrat, ein Kentaur. Und zerwarf die gläsernen Gespinste mit wildem Gelächter.

Die Straße war inzwischen bis nahe an den Fluß herabgestiegen; doch blieb noch ein breiter Streifen buschigen Waldes zwischen ihr und dem Ufer. Es liefen aber kleine Steige hinaus, und einem von ihnen, an einem Wasserlauf entlang, folgte der Wanderer, in keiner anderen Absicht als der, noch einmal freie Sicht auf die Strömung zu gewinnen, ehe er an die Brücke kam und in den gebundenen Bereich der Menschen. Ja, in seinem Herzen schien die wilderregende Wanderung dieses Nachmittags bereits zu Ende; er war schon in Gedanken bei dem neuen Bauwerk, bei dem gemütlichen Abendessen, bei dem morgigen Fest.

Er ging den Graben entlang, der sich rasch zu einem Altwasser ausbuchtete. Es war wohl noch hell hier, außerhalb des Waldes, am weißzischenden Fluß; aber, um noch Fische sehen zu können, schien es doch bereits zu dämmerig. Trotzdem hielt er die Augen unverwandt auf die klardunkle Flut gerichtet. Er würde sich ja nun doch von seinem geliebten Wurfspeer trennen müssen, denn es ging nicht an, also gerüstet unter die Leute zu treten. Und welch würdigeren Abschied konnte er seiner Waffe geben, als daß er sie zu guter Letzt doch noch gegen ein geschupptes Untier schleuderte, einen Hechten, einen armlangen, dreizehnpfündigen, wie ihn der Fährmann geschildert hatte heute nachmittag. Er hatte sich doch wieder heiß gelaufen auf dem Marsch vom Kloster herab, und es tat wohl gut, das schwarze Staatsröckchen noch einmal abzutun und die Weste dazu und sich hier auszulüften in der Kühle des Abends. Aber der Regierungsrat mußte bemerken, daß die Schnaken auch abends stachen und nicht schlechter als am heißen Mittag, und daß das Hemd sie durchaus nicht daran hinderte; er mußte auch einsehen, daß ein Mensch völlig wehrlos preisgegeben ist, der in der einen Hand seine Kleider hält, in der anderen aber eine zwecklose, kindische Gerte. Er überlegte eben, ob er besser diese fahren ließe oder aber seinen Frack wieder anzöge, als er einen Nachen sah, der am Ufer angekettet war.

Unversehens war er wieder völlig im Bannkreis des Wassers, und obgleich er sich selber einen alten Kindskopf schalt, war er doch schon entschlossen, sich an dem Kahn zu versuchen. Er legte Rock und Weste nieder und prüfte, wie das Boot befestigt sei. Die Kette war um einen Pfahl geschlungen, der im Morast des Ufers steckte, das in einer steilen Böschung abfiel. Es war nicht leicht, das Boot zu betreten. Es schwankte unter seinem Sprunge, und die schwarzklare Fläche schaukelte in weiten Ringen. Der Boden des Kahns stand voll Wasser, das unter dem Gewicht des Mannes rasch stieg, aus vielen Ritzen quellend. Doch mit dem Sinken mochte es noch eine gute Weile haben, und der Mann turnte bis zur flachen Spitze der Zille vor.

Das Unternehmen hatte sich gelohnt. Denn dort vorn war eine Kiste an den Kahn gekettet, ein plumpes, viereckiges Ding, das unbewegt unterm Wasserspiegel schwamm: ein Fischkasten!

Der Regierungsrat warnte sich selber. Es war eine heikle Sache, wenn jemand kam und ihn zur Rede stellte, gerade ihn, einen Beamten, der in besonderer Sendung hier weilte. Aber wer sollte kommen! Es zog ihm alle Finger hin. Anschauen war ja noch kein Verbrechen. Der Kasten hing an einer rostigen Kette, deren Schlußhaken im Boot verankert war. Er zerrte an der Kette, der Kasten kam langsam in Fahrt, bis er dicht an der Planke der Zille lag. Ein altes Vorhängeschloß hielt den Deckel. Im Kasten rumpelte es geheimnisvoll. Der Frevler sah um sich, horchte. Niemand kam, es war alles still.

Er lachte, die Hände schon am Schloß. Es brach mitsamt der Öse, die es schließen sollte, aus dem morschen Holz. Der Kasten war offen.

Er hob ihn über den Spiegel. Das Wasser schoß weiß aus den runden Löchern. Das Schlegeln drinnen wurde lauter. Jetzt mußte er den Fisch sehen. Angestrengt hielt er mit der einen Hand die Kette, mit der andern lüpfte er den Deckel. Und da sah er wirklich den Fisch, ungenau im Dämmern, wild schnalzend, bald schwarz, bald weißlichgrün. Es mußte der Hecht sein, der dreizehnpfündige, der gewaltige Bursche, der da hämmernden Schwanzes sich gegen die Wände seines Kerkers schnellte, als wittre er Tod oder Freiheit. Und jetzt tauchte gar der Kopf des Ungeheuers über den Rand des Kastens, ein spitzzahniger Rachen, ein grünschillernder Augenblitz – erschrocken ließ der Regierungsrat den Deckel fallen; der Kasten glitt in die Flut zurück.

In diesem Nu schwankte der Kahn, mit Wasser gefüllt, unter dem Erregten weg. Er erschrak, suchte nach einem Halt, griff mit beiden Händen den Fischkasten, der, von dem Stoß getrieben, sich nach vorwärts schob.

Der Regierungsrat, nach dem ersten Schock über das unfreiwillige Bad, faßte sich schnell. Er schalt sich selber einen Fischnarren, einen heillosen Tölpel, der seine Strafe verdient habe. Es fiel ihm sogleich ein, daß er Rock und Weste nicht anhabe, daß somit das Wichtigste dem Nassen entronnen sei. Die Hosen und die Stiefel aber würde er schon noch leidlich trockenlaufen. Ja, bis an die Brust im Wasser stehend, lachte er schon des Abenteuers, des Schwankes aus seinem Leben, beim Wein erzählt, im Gelächter der Freunde. »Aber halt!« rief er plötzlich, dem leise abtreibenden Fischkasten nachblickend, »wenn ich schon deinetwegen ins Wasser muß, du Teufelsvieh, dann sollst du mir nicht entwischen!«

Er watete vorwärts; es wurde tiefer, er schwamm. Kaum zwei Armlängen vor ihm schaukelte der Kasten auf leichten Wellen. Er holte ihn ein; das schlüpfrige Holz war schwer zu greifen, der Zug nicht ohne weiteres zu bremsen. Es würde besser sein, das plumpe Ding mit der Strömung ans Ufer zu schieben. Dort, ehe das Altwasser in den Fluß mündete, mußte es gelingen. Mit kräftigen Stößen drängte er nach rechts. Aber da schoß schon von links her, kalt siedend, weißblinkend der Inn heran. In einem mächtigen Schwall, ruhig und gelassen, ergriff der Strom den Schwimmer. Der hatte den Fischkasten halten wollen, jetzt hielt er sich an ihm. Das Wasser war so kalt nicht, es war auch noch bläulich hell über den Wellen. Und so dahingetragen zu werden, war, nach der ersten Angst, fast schön und feierlich.

Dem Regierungsrat fiel das Wort ein, das er schon einmal zu sich selber heute gesagt hatte, daß der Mensch, wenn er lebendig bleiben wolle, von Zeit zu Zeit in die tiefsten Brunnen seiner Dummheit fallen müsse. Und hatte er nicht auch an den reißenden Strom gedacht? So wahr, bei Gott, war noch selten ein Wort geworden. Und dieser ganze Tag, hatte er nicht Jahre des Lebens wettgemacht? Die Fähre, das Mädchen im Arm, der glückliche Schuß, das schlagende Pferd, die blühende Kirche, der Sonnenuntergang – und nun dies Abenteuer, ein würdiger Abschluß. Rock und Weste, sozusagen der eigentliche Regierungsrat, lagen wohlgeborgen am Ufer, hier aber trieb ein Mann dahin, vom Strom gewiegt, ein Mann, der schwimmen konnte.

Der Inn holte jetzt zu einer weiten Biegung aus. Der Mann mit dem Fischkasten kam nahe ans Ufer, aber die Rinne war hier tief und schnell. Da stand ja die neue Brücke, festlich geschmückt. Der Schwimmer sah hinauf; sie war menschenleer. Niemand würde ihn bemerken, das war gut so. »Hochansehnliche Festversammlung!« . . . Da würde er morgen stehen, die Hosen frisch gebügelt, kein Mensch würde etwas merken von dieser lächerlichen Geschichte.

Der Fluß lief wieder gerade. Unterhalb der Brücke sah der Schwimmer Sandbänke schimmern. »Dort werde ich an Land gehen«, sagte er. »Wenn mir nur der Bursche hier drinnen nicht auskommt, der an allem schuld ist. Ich werde den Kasten dort verankern; ich werde mit dem Fischer reden, heute noch, und ihm beichten. Und dann werde ich kurzerhand den Kerl da mitsamt dem Kasten kaufen, käuflich erwerben – ward je in solcher Laun' ein Hecht erworben?«

Die Brücke stieg jetzt ungeheuer hoch über das Wasser. Nun erst sah der Regierungsrat, wie reißend schnell der Strom ihn dahinführte. Links müßt Ihr steuern! dachte er, kräftig rudernd, noch den alten Spruch belächelnd. Aber der ungefüge Trog gehorchte mehr der Gewalt des Flusses als den stemmenden und haltenden Kräften des schwimmenden Mannes. Der spürte den saugenden Drang des Wassers und erwog die Gefahr. Eine Stimme rief ihm zu, er solle doch den Kasten fahren lassen, ja, sich selber mit einem Ruck abstoßen, in die Mitte der Rinne hinein. Das rät mir der Hecht, lachte er und rührte kräftig die Beine. Das könnte dem Burschen so passen. Aber nein, mein Freund, wir bleiben beisammen! Da war schon der Pfeiler. Das Wasser, am Bug gestaut und gespalten, wich in einem Wirbel aus und gurgelte dann schräg nach rechts hinunter. Der Kasten, schwankend und halb kippend, streifte mit knirschendem Schrammen die Betonwand. Das morsche Holz wurde aus dem Gefüge gequetscht. Der Schwimmer sah noch einen schlagenden, leuchtenden Schein dicht vor den Augen. Der Hecht! Der Hecht! Er tappte, griff schleimige Glätte, drückte zu. »Hab' ich dich, Bursche«, jubelte er, da hob ihn die Woge und schlug ihn hart an die Mauer.

Aus den sich lösenden Händen des versinkenden Mannes schoß der befreite Hecht mit kräftigen Schlägen in den Strom hinaus.

Der grobe Wirt

Die Erzählung der Kellnerin

In der Wirtschaft zum Kollergarten bin ich zwanzig Jahre Kellnerin gewesen und der neue Wirt, der heuer aufgezogen ist, hätte mich auch gerne behalten. Aber ich habe in dem Haus eine lange und traurige Geschichte miterlebt bis zum bittern Ende und ich bin zu alt, um noch einmal eine neue anzufangen.

Der Kollergarten ist jetzt wieder eine kleine Wirtschaft, wie ers damals war, im Jahr fünfundzwanzig, wie ich hingekommen bin. Aber daß er einmal, in den dreißiger Jahren, ein großmächtiger Betrieb gewesen ist, das wissen die Jüngeren nicht mehr. Ich habe den Aufstieg und den Niedergang aus nächster Nähe miterlebt und kann manches erklären, was unter den Leuten nur als ein Gerücht umgeht.

Der Wirt, unter dem ich angefangen habe, der hat Korbinian Salvermoser geheißen. Er ist damals schon ein Witwer gewesen, die Frau ist zwei Jahre vorher im Kindbett gestorben, ich habe sie nicht mehr gekannt. Das Kind hat auch nicht lang gelebt, aber ein Bub von acht Jahren, der Anton, ist noch dagewesen. Er, der Wirt, hat wieder heiraten wollen, die Loni vom Seehof drüben in Rieden. Inzwischen hat ihm seine Schwester, die Walburga, das Hauswesen geführt und hat auch den kleinen Anton gehalten, wie wenn sie die eigne Mutter wäre und nicht bloß die Tante.

Das ist aber nicht auf die Dauer gedacht gewesen, weil, wie gesagt, der Wirt die Loni von Rieden hat heiraten wollen; und die Walburga, seine Schwester, hat vielleicht nicht warten mögen, bis die neue Wirtin kommt und ihr die Schlüssel aus der Hand nimmt. Sie hat sich kurzerhand mit dem damaligen Kommandanten, dem Matthias Ferstl versprochen, wir alle haben nicht recht gewußt, warum. Er ist ein strammer Mensch gewesen, und vielleicht hat sie sich in seine schöne Uniform vergafft. Aber die hat ja dem Staat gehört und er selber hat nichts gehabt als seinen kleinen Gehalt. Schön ist freilich die Walburga nicht gewesen, sie ist damals schon arg in die Breite gegangen, aber als Schwester vom Wirt hätte sie schon einen Besseren finden können. Schließlich war er halt doch nur ein vernickelter Tagdieb und ein grober, vierschrötiger Lackel dazu und sie hat ein festes, aber sanftes Gemüt gehabt, so daß wir uns alle gewundert haben.

An verfänglichen Redensarten, wie, daß der Ferstl nur aufs Gerstl spitze, hat es da nicht gefehlt, aber den groben Mattl, wie er damals schon geheißen hat, haben die Anspielungen nicht viel gekümmert, er hat die Knöpfe an seiner Uniform noch blanker geputzt und sich seinen verwegenen Fuchsschwanzschnurrbart noch dreister aufgezwirbelt, er hat seine Derbheit zu einer Schneidigkeit gebändigt, die einem vollblütigen Frauenzimmer schon hat gefallen können.

Wir haben alle auf eine Doppelhochzeit im nächsten Frühjahr gewartet, es ist aber dann anders gekommen. Der Salvermoser, der Wirt, hat natürlich seine Loni ab und zu besucht; nach Rieden hinüber muß man um den halben See herum. Im Sommer ist der Korbinian mit dem Kahn gefahren oder geradelt, im Winter hätte er das Fuhrwerk nehmen müssen oder zu Fuß gehn. Da ist der See im Jänner zugefroren und übers Eis ist es nur eine leichte Stunde nach Rieden gewesen.

Er ist zweimal hinüber, aber das drittemal, im März, ist er eingebrochen. Es ist schon fast finster gewesen, wir haben ihn noch schreien gehört, der starke Mann hat sich noch lang gegen den Tod gewehrt, es sind auch gleich etliche Männer und Burschen auf die Suche gegangen, aber sie haben ihn nicht retten können.

So ist wider Vermuten das ganze Anwesen der Schwester zugefallen und dem kleinen Anton und ein Jahr später hat der grobe Mattl die Walburga geheiratet und ist ganz unverdientermaßen Kollerwirt obendrein geworden. Er hat immer noch, auch ohne Uniform, stattlich genug ausgeschaut. Aber gar so schön ins Fett hat er sich doch nicht setzen können, wie er gemeint hat, das Geld ist mündelsicher für den Buben angelegt gewesen, und im übrigen ist die Walburga schlau genug gewesen und hat es advokatisch gemacht, so, daß dem Mattl nicht das Bett gehört hat, in dem er geschlafen, und nicht der Tisch, an dem er gegessen hat. Im Grund genommen ist er bloß der Hausknecht gewesen.

Das Wirtspielen hat ihm trotzdem nicht übel gefallen, er hat essen und trinken können nach Herzenslust und das Faulenzen und Kommandieren hat er sich nicht abgewöhnen brauchen, es hat jetzt einen schöneren Namen gekriegt als vorher. Das Gasthaus, so wie es damals war, ist eigentlich von selber gegangen, neben der Landwirtschaft her; für die Bauern- und Fuhrleute ist es notwendig genug am Weg gestanden, und die Fremden sind wegen der schönen Aussicht gekommen, die man vom Garten aus auf den See und auf die Berge hat. Das Bier war nicht schlechter und die Wurst und der Käs nicht geringer, als unter dem vorigen Wirt, und die Küche der Walburga ist überall gelobt worden.

Die einheimischen Gäste haben von der Grobheit des Wirts nicht viel hergemacht, wenn er es zu arg getrieben hat, sind sie halt noch gröber geworden als er und haben ihm die Schneid abgekauft.

Ich glaube immer, er hat von Anfang an den Flegel mehr gespielt, als recht war. Der altbairische Schlag neigt ein bißl zur Komödie, und oft weiß einer da selber nicht recht, ob das jetzt ein Spaß war oder Ernst, was er gesagt hat. An die Sprüche und Derbheiten des Wirts haben sich die Leute gewöhnt, er hat sie zum Narren gehalten, und sie haben ihn selber für einen angeschaut.

So wäre alles noch lang leidlich genug weitergegangen, wenn nicht die Fremden gewesen wären, die Sommerfrischler, die unsre Gegend mehr und mehr überschwemmt haben und die von weither gekommen sind, um den hochoriginellen Alpenwirt kennen zu lernen. Sie haben sich von ihm duzen und uzen lassen und haben es für einen Hauptspaß genommen, wenn er ihnen bei einer saftigen Begrüßung die feine Hand zwischen seinen klobigen Fingern gequetscht oder sie krachend auf die Schulter geschlagen hat.

Man muß es dem Mattl zu Gute halten, daß sie ihn in seine Rolle geradezu hineingezwungen haben; denn weil sie im Voraus schon immer den groben Wirt als einen wunderlichen Kauz gerühmt und die tollsten Sachen von ihm erzählt haben, sind sie beleidigt gewesen, wenn er ihren Erwartungen nicht nachgekommen ist und nicht gleich jeden Gast auf die Kerbe geladen hat. Ich habe mich oft gewundert, wie da die Kommerzialräte aus Wien drüber haben lachen können und wie es die noblen, geschleckten Damen aus Berlin sich haben bieten lassen. Das ist doch süß, haben sie gesagt und ihn immer zu neuen Hanswurstereien aufgestachelt.

Wenn der Wirt in all den Jahren als eine Hörenswürdigkeit hat gelten können, dann ist leider die Wirtin, die Walburga, eine Sehenswürdigkeit geworden, so unmäßig ist sie in die Breite gegangen. Kinder hat sie keine gekriegt, obwohl der Mattl aus mehr als einem Grund gern welche gehabt hätte. Denn es hat ihm nicht gepaßt, dem kleinen Anton nur den Nährvater zu machen. Vielleicht hat er damals schon seine eignen Pläne gehabt, jedenfalls hat er den Buben scheel angeschaut und er ist ihm ja auch weniger und ärgerlicher gewesen, als ein Stiefsohn.

Die Walburga ist also immer fetter geworden, ungesund aufgedunsen, obwohl ihr sonst nichts gefehlt hat. Gehn hat sie bald nicht mehr viel weiter können, als von der Küche ins Gastzimmer, oder im Sommer in den Garten hinaus in das Salettl; da ist sie dann oft lange Stunden gesessen, wie eine Kröte wunderlich im sonnendurchspielten Blättergrün, und die Kinder haben sie mit heimlichem Grausen belauscht und doch wieder geliebt, denn goldäugig ist sie gewesen, wie das warzenblasse, verwunschene Tier.

Später hat sie nicht einmal mehr richtig stehen können. Sie ist dann, ein wandelnder schiefer Turm von madenweißem Fleisch, an der Wand gelehnt oder hat sich über den Rand eines Tisches gebeugt. Und jeder Tag ist ihr eine Last gewesen und eine Mühsal mit dem Aufstehen und dem Zubettgehen. Die Fremden sind erschrocken, wenn sie die Frau zum erstenmal gesehen haben, und die Stammgäste haben natürlich ihre billigen Späße gemacht, aber ins Gesicht hätte sie keiner kränken mögen, alle haben die gutherzige, stille Frau gern gehabt. Sie muß aus einer verborgenen Kraft heraus gelebt haben, sie hat nicht nur die Küche und das Hauswesen tüchtig geleitet, sie hat auch, so gut es gegangen ist, auf den Anton geschaut, der inzwischen ein Halbwüchsiger geworden war. Nachlaufen hat sie ihm freilich nicht können. Der Wirt hat sich um den Buben nicht weiter gekümmert, der hat andre Sachen im Kopf gehabt.

Bauernschlau, wie er war, hat er bald gemerkt, daß man auch aus der Narretei seinen Vorteil ziehen kann. Immer mehr Fremde haben zugesprochen und immer gröber und pfiffiger hat er sich gestellt. Er ist aber dabei nicht geblieben, er hat das Bauen angefangen; gegen Süden, auf den See zu, hat er einen neuen Flügel angesetzt; eine Glasveranda ist zuerst dazugekommen und dann eine pfundige Bauernstube und zuletzt hat er dort Zimmer im Oberstock eingerichtet.

Aus dem einen Kollergarten sind allmählich zwei geworden, das alte Anwesen mit der Landwirtschaft, da hat sich mehr und mehr die Walburga drauf zurückgezogen, und das neue Geschäft, das der Mattl betrieben hat.

Es hat so geschienen, als kümmere sich die Wirtin um all die Schnaxen und Faxen ihres Mannes nicht mehr. Sie hat auch vielleicht gemeint, er gibt es bald wieder billiger, sie hat oft gesagt, »aufs End von Narren braucht man nicht lang harren«. Es hat dann doch länger gedauert und ist schlimmer hinausgegangen, als wir geglaubt haben. Aber sie hat es abgewartet, zuerst mit einer stillen Festigkeit, und zum Schluß mit einer Härte ohne Mitleid.

Vorderhand ist freilich der Wirt obenauf gewesen, und sein Betrieb ist in Flor gekommen. Das Alte war ihm nicht mehr gut genug, er hats durch das neue Geschnas ersetzen müssen. Da hats bald überall Wandsprüche gegeben, mit Almrausch und Edelweiß geziert, die, wie der Wirt selber, derb und lustig haben sein wollen um jeden Preis. An der Tür und auf den Stiegen und – weils wahr ist – auf dem Abort sind Täferln gehängt mit »Haxen abkratzen!« und »Fensterln verboten!« und so weiter und der Esel als Wetterweiser hat auch nicht fehlen dürfen. Und die Preußen haben ihr Vergnügen an dem Eselsschwanz gehabt und ich bin oft verwundert gewesen, wie gescheite Leute aus der großen Stadt so einfältig sein können. Später sind dann gar Gäste bis vom Ausland gekommen, aber die waren auch nicht besser.

Es hat nicht an gediegenen Landsleuten gefehlt, feine Herren aus München, Maler und Professoren, die haben versucht, dem Wirt ins Gewissen zu reden, daß es jammerschad ist, wenn er das schöne Fleckerl Heimat so verschandelt; aber sie haben tauben Ohren gepredigt. Von den paar Hungerleidern, hat der Wirt gesagt, kann er nicht leben. Sie sind dann zu uns in die alte Stube herübergekommen.

Ich muß nämlich erzählen, daß sich immer deutlicher zwei Lager herausgebildet haben, die alte Wirtschaft von der Frau und die neue vom Herrn. Und weil ja schon längst mehrere Kellnerinnen bedient haben, bin ich unversehens ganz zur Wirtin hinübergewechselt.

Der Mattl hat es immer weiter getrieben, statt dem landläufigen Geschirr hat er allerhand Fabrikschund zusammengekauft, Halbekrügel, Teller und Tassen mit den spaßigsten

Eigennamen und für die alten, ehrlichen Stamperln Schnapsgläser, die nach voll ausgeschaut haben, wenn sie fast leer waren. Die Fremden haben das Gelump für teures Geld erworben und oft haben sies auch gestohlen und als Andenken mitgenommen nach Hamburg oder Berlin oder wo sie herwaren. Dabei hat er sich noch eingebildet, seine Wirtschaft müßte immer feiner und moderner werden. Der alte Wirt, der selige Korbinian Salvermoser, hat sich allweil geärgert, wenn die Gäste ihre Hunde vom Geschirr haben fressen lassen und er hat im Garten eine Tafel aufgehängt, daß die, wo ihre Hunde auf die Teller füttern, dieselben käuflich erwerben müssen. Das ist jetzt dem Mattl zu geschert gewesen und den Hausknecht, der seit Urzeiten mit der Kreide auf das schwarze Brett geschrieben hat, daß es einen »Bresack« und einen »Kamemberger Käs« gibt, hat er auf einmal einen ungebildeten Deppen geschimpft; aber wie mans schreibt, hat er dann auch nicht gewußt; und der Hausl hat gemeint, die Leute hättens noch immer richtig gegessen und das wäre schließlich die Hauptsache.

So schön stad hat sich manche alte Kundschaft verloren, der Pfarrer oder der Bürgermeister sind seltner gekommen und dann gar nicht mehr, höchstens in der alten Stube bei der Wirtin sind sie noch eingekehrt. Und andre haben es laut gesagt, daß sie in der Krachbude nicht mehr sein mögen und ihr Bier lieber beim »Alten Wirt« trinken im Dorf drunten. Aber der Mattl hat sie über seinen neuen, lärmenden Freunderln leicht verschmerzen können.

Er hat mehr und mehr den Noblen gespielt und seine Spezi haben ihm brav den Wein und Schnaps weggetrunken, den er ihnen hat spendieren müssen. Dafür haben sie ihm den Floh ins Ohr gesetzt, er wär der geborne Unternehmer, er müßte jetzt aufs Ganze gehen und so was wie eine Großgaststätte aufmachen. Der Mattl, der bisher bloß den Groben gespielt hat, ist unversehens wirklich hoffärtig geworden, er hat die Vereine hergezogen, die Kegler und Radfahrer, die Schützen und die Volkstrachtenerhaltungsvereine. Und er selber ist in einer übermäßig wuchtigen kurzen Wichs aufgetreten, mit einem Mordstrumm Gamsbart auf dem Hut; und auf seinem Bauch über dem grünsamtnen Gilet hat ein ganzes Kuhglockengeläut von Charivari geschaukelt und geklingelt.

Eine Schrammelmusik hat her müssen und weil er allein es nicht mehr hat machen können, hat er sich eine Blasen von Gaudiburschen und Jodlerinnen hergezügelt und an den Samstagen und Sonntagen ist es hoch aufgegangen im Kollergarten.

Die Wirtin ist immer dicker geworden und immer verfallner, sie hat sich kaum mehr sehen lassen, sie hat ja auch längst ihr stilles Salettl nicht mehr gehabt, in das sie sich hätte flüchten können; denn an dem Platz ist jetzt ein bretterner Auftritt gestanden für die Schuhplattler und die Volkssänger. Es hat geschienen, als ob die beleibte hinwankende Frau den Karren laufen ließe, als ob ihr alles über den Kopf gewachsen wäre. Schwer schnaufend ist sie am Herd gelehnt, mühsam ist sie die Wände entlang getappt, tief drinnen im alten Haus. Und die raschen, die flüchtigen Gäste, die neuerdings gekommen sind, haben oft gar nicht gewußt, daß sie da war.

Sie ist aber schon da gewesen, mit einer merkwürdigen Kraft und Eindringlichkeit und keiner hat das mehr und mit schlechterem Gewissen gespürt, als ihr Mann, der Mattl. Eine wirkliche Ehe ist es schon seit Jahr und Tag nicht mehr gewesen, wenn es überhaupt jemals eine war. Und wenn man gerecht ist, muß man ja auch sagen, daß es für einen strammen und vollblütigen Mann schwer gewesen ist, neben einer so mißwachsenen Frau herzuleben. Die Walburga muß das auch eingesehen haben, denn sie hat ihm so manches Techtelmechtel durchgehen lassen, das er gehabt hat; an Verdruß mit Mägden und Kellnerinnen hats freilich nicht gefehlt. Und natürlich sind der Frau auch die rohen Späße hinterbracht worden, die der Mattl mit seinen Freunderln gemacht hat: seine Frau wäre das Kapital, das dürfte er nicht angreifen, er lebe von den Zinsen.

Aber dieses wüste Wort hat eine tiefere Heimat gehabt. Denn der Wirt hat ja wirklich von den Zinsen gelebt, der eigentliche Erbe und Besitzer ist der Anton gewesen, und der Wirt hat nicht schalten und walten können, wie ers gern getan hätte.

Der Bub ist ihm ein Dorn im Auge gewesen, das hat jeder sehen können, auch wenn der Wirt schlau genug war, es keinem aufs Maul zu binden. Und die Frau mit ihrer hartnäckigen Rechtschaffenheit auch: er hat oft versucht, im

Guten wie im Bösen, von ihr Geld herauszupressen für seine Pläne, aber nichts hat er gekriegt. Ich warne dich, hat sie zu ihm gesagt, wie er einmal wieder in der alten Stube herüben war und gebenzt und gebettelt hat, Mattl, ich warne dich! Tu du mit deiner Wirtschaft, was du magst, aber ich lasse die meinige, wie ich sie vom Bruder selig gekriegt habe und wie sie der Anton erben soll.

Die jungen Leute von heutzutage wissen nicht mehr, wie rar einmal, anfangs der dreißiger Jahre, das bare Geld gewesen ist. Der Spatz in der Hand war besser als die Taube auf dem Dach und für große Pläne ist eine schlechte Zeit gewesen. Aber der Mattl, so unbehaglich es ihm war, hat sich mit seinen guten Freunderln über die Frau lustig gemacht. Und jetzt, hat er gesagt, wirds erst recht ganz groß angegangen!

Wo er den Kredit aufgetrieben hat, das ist im Ungewissen geblieben, jedenfalls hat er vermessen drauf losgewirtschaftet. Am See hat er eine Badeanstalt und Schiffshütten errichten lassen, eine große hölzerne Halle ist gebaut worden und Tische und Bänke aufgestellt wie fürs Oktoberfest in München. Er hat Lauben zimmern lassen für die Liebespaare und bunte Lampen hat er in die Bäume gehängt in ganzen Schnüren, eine Volksvergnügungsstätte hat es werden sollen; aber es ist jetzt oft genug schlechtes Volk gewesen, was zu ihm gekommen ist in seinen »Lido« – so hat er nämlich den neuen Betrieb geheißen.

Mit Gewalt hat er den Erfolg erzwingen wollen und wenn ihm ein Gutmeinender vorgebetet hat, daß es so nicht geht, dann ist er hochfahrend und wirklich saugrob geworden; aber die Milchmädelrechnungen von seinem Spezi, die hat er geglaubt, daß es die Masse machen muß, und daß viele Gäste, auch wenn sie wenig verzehren, besser sind, als wenige, die vielleicht mehr aufwenden. Sogar die Preußen sind jetzt weggeblieben, weil es ihnen zu aufdringlich geworden ist mit Karussell- und Schifferlfahren, mit Schießbuden und Blasmusik.

Dafür sind in der Zeitung große Anzeigen erschienen, die ihm so ein Tellerlecker eingerückt hat, von dem er der Meinung gewesen ist, es wäre ein großartiger Schriftsteller. »Man kann nicht wirkungsvoller starten, als sonntags in den Kollergarten!« und so ähnlich haben sie geheißen. Einhämmern muß mans den Leuten, hat er wichtigtuerisch gesagt, ein Schlagwort muß man draus machen. Aber er hat übersehen, daß diese teuern Anzeigen für die besseren Gäste, die am Sonntag gern ihre Ruhe gehabt hätten, eher eine Warnung gewesen sind, als ein Anreiz. Und sagen hats ihm niemand mehr mögen, denn wer hätte noch sich ärgern wollen mit dem aufgeblasenen Lackel.

Bald sind die ersten Streitigkeiten angegangen. Die Bewohner der Gegend haben die aufdringlichen Tafeln weggerissen, die ihnen der grobe Wirt an ihre Gartenzäune und vor ihre beste Aussicht hingepflanzt hat und auf denen es gestanden ist, daß es nur noch eine halbe Stunde, nur noch zehn Minuten ist zum berühmten Kollergarten-Lido. Aber in der nächsten Nacht hat er sie wieder hinnageln lassen und hat Burschen aufgestellt, die gegen ein paar Maß Bier gewalttätig genug die Leute eingeschüchtert haben. Gewalttätig, das ist überhaupt das richtige Wort für den Betrieb, den der Wirt aufgezogen hat. Mit Fahne und Musik ist er vor dem Bahnhof aufmarschiert und hat die Ausflügler in den Kollergarten gegängelt. Fahnenweihen und Stiftungsfeste hat er veranstaltet und Sportpreise und Scheiben gegeben, er hat gemeint, er müßt großzügig sein und die Wurst nach der Speckseite werfen; er ist aber bloß großspurig gewesen und niemand von dem Geschwerl hat ihm Dank gewußt.

Es ist damals auch politisch eine heikle und hitzige Zeit gewesen und es hat nicht lang gedauert, bis der Wirt die ersten Streitereien auf dem Hals gehabt hat und ihm verschiedene Vereine die Gefolgschaft aufgekündigt haben. Die »Germanen« hat er von der Bahn abgeholt, weil er gemeint hat, er stimmt sie noch um mit seiner Gaudi. Aber sie sind dann, und das Gespött läßt sich denken, mit seiner eignen Musik bis zum »Alten Wirt«, aber weiter nicht mehr. Der Mattl hat zuschauen müssen, wie sie mit Kind und Kegel dort eingefallen sind, wie die Heuschrecken.

Er hats gesehen, daß es bergab geht. Nichts hat mehr verfangen, die Grobheit nicht und nicht die derblustigen Redensarten, nicht der Eichkatzlschnurrbart und nicht der kecke Hut und die mächtig baumelnde Uhrkette. Die besten Gäste hat er laufen lassen, die guten hat er auch nicht mehr gekriegt, er hat um die schlechten froh sein müssen. Und von seinen Freunden sind ihm auch nur die Unentwegten geblieben, die ihm bei den immer wilder werdenden Saufereien die Treue geschworen haben bis zur letzten Mark und zur letzten Flasche.

Es sind viele finstre Burschen drunter gewesen, der finsterste war wohl der Schuler Josef; der hat als der böse Geist den Mattl in alles hineingehetzt; und wenn die zwei die Köpfe zusammengesteckt haben, hat man sich auf eine Tollheit gefaßt machen können. Der Schuler ist dann bei einer politischen Rauferei mit einem Maßkrug erschlagen worden, zum Glück nicht bei uns im Ort, sondern drüben in Aufkofen. Es ist viel drüber gemunkelt worden, er hätte ein Geheimnis mit ins Grab genommen; er hat nämlich einmal, wie er betrunken war, mit dem Wirt Streit gehabt und ist mit drohenden Worten weggegangen: er möchte nicht mehr sagen, hat er geschrien, als daß eins zu wenig ist und zwei zu viel sind – der Mattl könnte das Rätsel schon auflösen.

Vielleicht hat noch mancher von den Kumpanen mehr gewußt, als er gesagt hat – jedenfalls ist davon geredet worden, der Wirt hätte die Frau und den Buben aus dem Weg räumen wollen und die Worte vom Schuler wären klar genug gewesen: Eins hätte ihm nichts geholfen, weil er doch ans Geld nicht gekommen wäre, aber gleich alle zwei, das wäre ihm doch zu viel gewesen. Man muß freilich nicht alles glauben, was die Leute reden, aber daß der Wirt und sein Anhang nicht den besten Leumund gehabt haben, das ist sogar bei der Beerdigung vom Schuler offenkundig geworden. Der Pfarrer hat ganz laut am Grab gesagt, wenn er die Herren mit den Pinseln auf dem Hut sieht, dann weiß er schon, wie er dran ist.

Es hat sich jetzt auch der und jener erinnern wollen, daß einmal in der Schlafkammer der Wirtin ein Feuer ausgebrochen ist, das freilich schnell gelöscht war und daß der Anton verdächtigerweise durch ein Loch vom Heuboden auf die Tenne heruntergefallen und nur durch ein Wunder gerettet worden ist. Aber wenn man mit solchen haltlosen Gerüchten anfangen wollte, hätte man bald lauter Mörder in der Gemeinde.

Im Gegenteil, es ist plötzlich ganz anders gekommen und das ist uns viel verdächtiger gewesen: der Mattl, der sich um seinen Ziehsohn bisan wenig gekümmert hat, ist auf einmal, sozusagen von heut auf morgen, überfreundlich zu ihm geworden und man hat deutlich gemerkt, daß er ihn zu sich herüberziehen will.

Der Anton ist jetzt siebzehn, achtzehn Jahre alt gewesen; es war traurig zum Mitanschauen, was aus dem netten Burschen für ein unguter Lietsch geworden ist. Die Walburga, die Wirtin, seine Tante, hat es gewiß mit der Erziehung gut gemeint, sie hat einen rechtschaffenen Menschen aus ihm machen wollen, der einmal den soliden alten Kollergarten übernimmt, wenn der Mattl mit seinem Schwindelbetrieb abgehaust hat. Aber sie hat wahrhaftig diesmal die Rechnung ohne den Wirt gemacht. Sie ist in ihrer Selbstgerechtigkeit ihrer Sache zu sicher gewesen, sie hat den Buben angeschaut wie einen Trumpf, den sie in der Hand hat, sie hat ihn fürs As gehalten, bei dem sie ihren Zehner hineinschmeißen kann und das Spiel ist haushoch gewonnen. Sie hätte es aber beinah noch verloren.

Sie hat den Buben streng erzogen, vielleicht mit der Zeit zu streng, aus lauter Angst vor dem schlechten Einfluß, den die liederliche Wirtschaft ihres Mannes mit ihrem Säufer- und Weiberbetrieb auf ihn ausüben könnte. Sie hat ihn kurz gehalten, aber nachlaufen hat sie, die Stubenhockerin, ihm nicht können und so ist er ein Duckmäuser geworden, der ihr ins Gesicht immer noch den unverdorbenen Buben gespielt hat, der er aber schon lang nicht mehr gewesen ist. Ich habe sie mehr als einmal gewarnt, aber da hat man mit ihr nichts reden können, sie hat fest auf ihn vertraut und bloß immer gesagt, der Anton wär schon recht.

Der Wirt muß da die schärferen Augen gehabt haben, ich glaube immer, daß sie ein Zufall ihm geöffnet hat. Unter den Schuhplattlern ist eine Jodlerin gewesen, ein rothaariges Mensch, die Resi, die ist mit ihren Reizen so freigebig gewesen, daß sogar für den Anton noch was abgefallen ist. Der Wirt hat es wohl als erster gemerkt, in was für einem Schlag sich der Vogel gefangen hat. Als Ziehvater hätte er stracks dagegen einschreiten und dem Buben den Kopf wieder zurecht rücken müssen, aber als der Lump, der er schon lang gewesen ist, damals, hat er noch dazu geholfen, dem Anton den Kopf noch mehr zu verdrehen, und seine Blasen hat noch ein Übriges getan. Sie haben ihm geschmeichelt als dem jungen Herrn und haben ihm Wein und Schnaps hingeschoben; und wenn er nicht recht gezogen hat, weil halt doch noch ein Rest Anstand in ihm gewesen ist, dann haben sie ihn gehänselt, er soll lieber zur Tante gehen und Milch trinken und Bilderbücher anschauen.

Der Wirt, das haben ein paar Gutmeinende der Walburga hinterbracht, weil sie sich doch geschämt haben über das Spiel, das da getrieben worden ist, der Wirt hat baß gehetzt und den Anton bald angetrieben, er soll die goldne Uhr vom Vater verlangen, sie gehöre ja doch ihm, bald hat er ihm eingespuckt, er sollte nach Berlin oder gar ins Ausland gehen und es sich nicht gefallen lassen, daß seine Tante einen Bauern und einen Bauernwirt aus ihm macht, wo er doch der größte Hotelier werden könnte. Natürlich ist das keine ehrliche Sorge um die Zukunft des Anton gewesen, er hat ihn nur als Werkzeug benützen wollen, um den Schatz aufzugraben, der ihm verschlossen gewesen ist. Daß er, der Mattl, nicht an das Geld hat kommen können, hat ihn ganz rasend und schlecht gemacht. Wenn eine solche Person mit ihrem Mordstrumm Hintern auf dem Geld sitzt, hat er gesagt, dann ist es kein Wunder, daß kein Pfennig herausschaut!

Der Anton ist bald das getreue Echo von dem gewesen, was der Mattl in ihn hineingeschrien hat, er ist immer verstockter und aufsässiger geworden, eine wilde Jugend wars obendrein, damals, anfangs der dreißiger Jahre, wo das ganze Volk bösartig gewesen ist, wie ein Wespenschwarm.

Die Walburga, die gegen den Mattl sich so fest behauptet hat, ist gegen den Anton viel schwächer gewesen, weil sie ihn lieb gehabt hat. Und sie ist ratlos gewesen, was sie tun soll. Nur gegen alle Versuche, ihr das Heft aus der Hand zu winden, ist sie standhaft geblieben. Das Schlechte, hat sie gesagt, darf nicht triumphieren; das Nachgeben wäre leichter, hat sie zu mir gesagt, glaub mirs, es könnte eins gern müd werden drüber, wenn ihm so zugesetzt wird. Aber einen krummen Nagel darf man nicht noch weiter ins Holz treiben, mit der Hoffnung, daß er schon grad ankommen wird.

Es hat sich mancher in der alten Stube an den Tisch gesetzt und der Wirtin gut zugeredet; und das sind keine schlechten Leute gewesen, die der Wirt vielleicht auf Kundschaft geschickt hat. Sie haben von der Politik geredet und die Walburga vermahnt, ihren Vorteil nicht so mit Füßen zu treten und nicht so halsstarrig zu sein. Sie haben auf den

Hitler hingewiesen und seinen Erfolg. Und wenn einem auch das und jenes nicht gefalle, der Erfolg sei doch das einzige im Leben, worauf es ankommt, und daß der Mattl Erfolg hat mit seiner Wirtschaft, das müßte sie doch zugeben.

Erfolg hat der Teufel auch, hat sie gesagt, bis man merkt, daß er mit falschen Karten gespielt hat. Und wenn die ganze Welt närrisch wird, sie will ihren Verstand behalten – und das Geld auch! haben die andern gehöhnt, aber sie hat nur genickt: Jawohl: und das Geld auch.

Es ist damals recht auf Spitz und Knopf gestanden; der Mattl hat die neue Zeit gewittert und immer davon gesprochen, wenn ers jetzt noch durchsteht, dann hat ers gewonnen, aber die Frau hat auch gespürt, daß ihm das Wasser bis an den Hals steht und daß sie ihn nicht mehr hochkommen lassen darf. Es ist ein grausamer Krieg gewesen, und schon das Zuschauen war unbehaglich genug, wie die bleiche, dicke Wirtin dagestanden ist als ein fleischener Turm und der zornige Mann gegen sie angerannt ist und den Buben haben sie zwischen sich hin und hergezerrt, daß es ein Elend und eine Schande gewesen ist.

Das alles ist viel langwieriger und zäher hergegangen, als ich es hier erzählen kann. Wir haben den Wirt oft im Winter und im ersten Frühjahr durch seine weitläufige Großgaststätte gehen sehen, wo es überall schon was zum Richten und Flicken gegeben hätte und der Verfall schon beim Dach und Fenster hereingeschaut hat. Vielleicht hat er sich auch in die Zeiten zurückgesehnt, wo er noch der Herr Kommandant war oder der lustige grobe Bauernwirt vom kleinen Kollergarten, damals, ehe die ersten Fremden gekommen sind.

Und auch die guten Freunde sind höhnisch vorübergegangen und haben mit ihren Hackelstecken in den morschen Brettern herumgestochert und haben den Mattl aufgezwickt, ob ers denn nicht sehe, wie sich der Krempel langsam in Wohlgefallen auflöse.

Der Wirt hat schon noch Augen im Kopf gehabt, um es zu sehen, aber kein Geld mehr im Beutel, um es zu ändern. Kleinweis, wie ein Fretter, hat er da und dort was richten lassen, aber es ist jetzt schnell eins zum andern gekommen. Der Mattl hat wirklich grob werden können, ohne alle Lustigkeit, aber geholfen hat es nichts mehr; er hat dann den

Verdruß hinuntergeschwemmt, richtig betrunken ist er nie geworden, dazu hat er zu viel vertragen. Aber bös ist er geworden, rot angelaufen, kleine tückische Augen hat er gekriegt; und jeden Tag hat er Krach gehabt mit den Lieferern, mit den Kellnerinnen, mit den Handwerkern; gar nicht zu reden von seinen heimlichen Bittgängen um Aufschub oder von den bedrohlichen Auseinandersetzungen, die man hat mitanhören müssen, wenn einer der sonst so fidelen Saufbrüder die Geduld verloren und ihn mit harten und beleidigenden Worten um sein Geld oder bloß um die Zinsen gemahnt hat. Gott und die Welt hat er dann verantwortlich gemacht für seinen sterbenden Betrieb, nur sich selber nicht.

Bisher hat er nur sein Geld verspielt, jetzt hat er auch seinen guten Namen drangesetzt. Es sind bald üble Sachen ruchbar geworden und man hat sehen müssen, mit was für verzweifelten Mitteln der Mattl arbeitet. Die Leute haben gespöttelt, rührig sein, wäre schon recht, aber nicht gleich ehrenrührig. Da sind in den umliegenden Wirtschaften auffallend oft verdächtige Gäste aufgetaucht, anspruchsvolle, aufdreherische Gesellen und mundgewaltige Weiber, die über alles geschimpft haben; und bald haben sie eine Maus im Maßkrug gefunden, bald einen Glasscherben im Limburger; und diese Raritäten haben sie, den Beschwichtigungsversuchen zum Trotz, umständlich genug den Wirten unter die Nase gehalten, aber daß sie dabei jedesmal drauf hingewiesen haben, daß sie da lieber in den Kollergarten gingen, wo solche Sauereien nicht vorkommen, das hat jeden rechtlich Denkenden stutzig machen müssen.

Und wie an einem Sonntag die ganze Umgebung mit Schuhnägeln bestreut war, so daß ein Radler um den andern fluchend seinen Karren in den Schatten des Wirtsgartens geschoben hat, da hat es mehr als einer gespannt, wer die Lumperei angezettelt gehabt hat.

Die Scherereien und Beschwerden sind nicht mehr abgerissen, der Mattl hat bald eine Reihe von Klagen und Prozessen auf dem Hals gehabt. Er ist aber bloß noch gröber und eigenmächtiger geworden. Er hat durch seine handfesten Burschen überall am Seeufer Stacheldrähte ziehen lassen und hat Tafeln hingestellt, daß das Freibaden verboten ist. Er ist dann selber, an den ersten warmen Tagen, die Strecke abgegangen und hat die Ausflügler, die sich nach altem

Brauch dort in die Sonne gelegt haben, mit dem Stecken und mit seiner groben, schallenden Stimme in seine Badeanstalt treiben wollen. Aber die Leute haben sichs nicht gefallen lassen und ums Haar hätte er Prügel bezogen.

Dann wieder ist aufgekommen, daß er die Vereinsvorstände und die Kassenwarte zu Vorbesprechungen eingeladen hat und daß er sie dabei hat regelrecht schmieren wollen; aber er hat das Garn, um sie zu fangen, nicht fein genug gesponnen.

Trotzdem muß er noch einmal Luft gekriegt haben, denn er hat unversehens den Hut wieder höher und den Schnurrbart verwegener getragen. Das Geschäft hat damals ohnehin ein bissel angezogen und er hätte wohl, wenn es ihm drum gegangen wäre, sich hinaushelfen und vorsichtig ein paar Löcher zumachen können. Aber er hat gleich das allergrößte aufgerissen, wie ein Spieler hat er alles auf eine Karte gesetzt und hat zu einem Hauptschlag ausgeholt: mit einem großen Sommerfest hat er den wackligen Betrieb wieder auf die Füße stellen wollen.

Es ist genagelt und gezimmert worden, die Schiffe hat er frisch anstreichen lassen, die Musik verstärken, an die zwanzig Kellnerinnen hat er bestellt und ein Feuerwerk obendrein. In der Zeitung hat man wieder das Versl vom Kollergarten lesen können und jedem, ob ers hat hören wollen oder nicht, hat er vorgerechnet, wie viel er ohne Zweifel verdienen muß und wie bis zum Herbst eine einzige Mark zehne heckt.

Am Donnerstag ist noch ein blitzblauer Himmel überm See gestanden und die Berge haben fern und dunstig hergeschaut, grad wie es recht ist. Aber geht d'Sonn' in eine Kotzen, regnets dem Bauern in d'Fotzen – am Abend ist die Sonne in einer Wolkenwand verschwunden und am Freitag hat es geschüttet, was nur hat herunter können. Am Samstag ist es nicht viel besser gewesen. Die Aushilfskellnerinnen sind herumgestanden wie die Hennen, man hat ja nichts richten und vorbereiten können; die großen Wägen aus der Stadt sind angekommen, tropfnaß, die bestellten Waren sind abgeladen worden, Würste und Fleisch, Kuchen und Brot; und die Laugenbretzen haben schon Wasser gezogen und sind ganz weich geworden. Der Wirt ist mit einem finsteren Gesicht dabeigestanden. Der Feuerwerker ist aufgeregt herumgesprungen und hat nach einem trockenen Platz für seine Räder und Raketen gesucht, aber es hat geschienen, als wäre das ganze Haus kalt und feucht geworden.

Die Wirtin, in all ihrem Fleisch, ist auch an diesem Tag nicht aus der Küche und Stube gegangen. Durchs Fenster hat sie in den Regen hinausgeschaut und hat mit dem unförmigen Kopf genickt, als ob ihr das Wetter grade recht wäre. Unheimlich ist sie mir gewesen mit ihrer kalten Ruhe. Der Wirt, wie arg ers auch getrieben haben mag, hat mich doch erbarmt in seinem Unglück. Aber die Walburga hat nur gesagt, dem Mattl seine Gaudi geht sie nichts an; und ihr Gasthaus, der alte Kollergarten, hat schon manchen verregneten Sonntag heil überstanden und wird noch, so Gott will, manchen überstehen.

Am Abend ist die Sonne aus den Wolken getreten, das gelbe Licht hat über das nasse Laub hingefunkelt und tief in das Haus hineingeleuchtet. Der Wirt, der schon so zappelig gewesen ist, daß er nicht mehr gewußt hat, wo er sich lassen sollte, ist in die alte Stube hinein zur Wirtin, es muß ihm schon schlimm zu Mut gewesen sein, denn seit Jahr und Tag hat er sich bei ihr nicht mehr sehen lassen. Ob er sich von der Frau irgendwas erhofft hat, weiß ich nicht. Aber ganz weich ist er auf einmal geworden; vielleicht, hat er gejammert, hat der Herrgott doch noch ein Einsehen und schenkt morgen einen schönen Tag. Wenn der Herrgott ein Einsehen hat, sagt die Wirtin und nimmt ihn beim Wort, aber sie sagts traurig und ohne Spott, dann bringt ers auf einen Schlag zu Ende mit der Lumpenwirtschaft, denn er läßt seiner nicht spotten.

Der Wirt hat keine Antwort drauf gegeben, aber wie jetzt die Sonne ganz grell auf das Kruzifix im Winkel geschienen hat, da ist der schwere Mann wahrhaftig in die Knie gesunken und hat gebettelt, der Herrgott solle sich doch noch einmal seiner erbarmen. Die Wirtin aber hat es ihm hart verwiesen, daß er Gott um was bittet in einer Sache, die des Teufels ist. Und wie er hat aufbegehren wollen, hat sie, ganz blaß und schwer schnaufend, zu ihm gesagt, er hätte aus einer ehrlichen Wirtschaft ein Narrenhaus gemacht und sich selber zum Haupthanswursten darin; das wäre freilich seine Sache. Aber daß er auch den Anton verderben will und den Namen Salvermoser unehrlich machen, das muß ein Ende haben und wenn der ganze Kollergarten drüber zu Grunde ginge. Und er solle nur wissen, daß sie, die kranke Frau, das einzige Gesunde wäre im ganzen Haus und stark genug, den Schwindel, wenn er schon falle, noch vollends umzustoßen.

Der Wirt hat jetzt zum Fürchten ausgeschaut. Er hat das hinfällige Fleischungetüm, das sich mühsam am Tisch gehalten hat, mit einem Blick voller Haß gemessen und seine Gedanken sind nicht schwer zu erraten gewesen: daß er am liebsten den Fettbrocken umgestoßen hätte, der ihm so im Weg gestanden ist. Ich habe Angst gehabt, daß er sie wirklich anpackt. Aber er ist dann doch ohne ein Wort hinausgegangen.

Am Sonntag und am Montag hat es in Strömen geschüttet. Kein Mensch ist auf den Gedanken gekommen, einen Ausflug zu machen und im festlich gerüsteten Kollergarten hat es traurig genug ausgeschaut. Der Wirt ist gallig dahin und dorthin gegangen und hat angeschafft, wo nichts zum Anschaffen gewesen ist. Die Kellnerinnen sind müßig und verdrossen herumgehockt und haben ihrem Trinkgeld nachgetrauert. Schließlich hat sich der einsame Wirt auch in einen Winkel gesetzt und am hellichten Tag einen Schnaps nach dem andern in seinen zornigen Bauch geschüttet.

Am Dienstag ist, wie zum Hohn, ein wolkenloser Himmel überm Land gestanden. Gäste sind natürlich am Werktag keine gekommen, wohl aber die Lieferer, die ihr Geld haben einziehen wollen. Die kleinen hat der Wirt auszahlen können, die größeren hat er vertrösten müssen. Er ist so giftig herumgelaufen, daß ihm jeder aus dem Weg gegangen ist.

Die Wirtin ist auf ihrem Platz in der leeren Stube gesessen und hat hinausgehorcht, wie der Mann in seinem Zorn getobt hat. Auf einmal sagt sie, ich soll den Mattl holen, sie will mit ihm reden. Ich bin ganz erschrocken und sage zu ihr, mit dem kann jetzt niemand reden, der ist ganz am Verzweifeln. Grad deshalb, hat sie gesagt, wäre es an der Zeit, daß sie mit ihm redet. Und sie ist von einer so stillen Festigkeit gewesen, daß auch ich gehofft habe, es würde noch gut werden.

Ich habe also dem Wirt Nachricht gegeben, daß er kommen soll; ich habe gemeint, er gibt mir eine grobe Antwort, aber er hat nichts gesagt und ist gleich drauf in der Stube gestanden. Freilich habe ich es schnell begriffen, daß ihn nichts so schleunig hergetrieben hat, als die wilde Lust, seine ganze Wut an der Frau auszulassen. Die Wirtin aber hat wohl gedacht, daß er jetzt so weit ist, wie sie ihn hat haben wollen und ich habe sie zu gut gekannt, als daß ich nicht gewußt hätte, wie sies gemeint hat. Mürb hat sie ihn gebraucht, den Mattl, aber nicht verzweifelt. Das Rechte tun hilft nichts, wenn mans in der falschen Stunde tut.

Sie hat sich gerüstet gehabt mit ihrer ganzen Kraft und wie sie ihn angeschaut hat, voller Festigkeit und ohne allen Übermut, ist sein stierer Blick unsicher geworden unter ihrer kühlen Ruhe. »Gibst du's jetzt auf?« hat sie ihn gefragt und in ihrer Stimme ist eine wirkliche Liebe gewesen. Die muß er gespürt haben; und er hat auch nur ganz kleinlaut gesagt: »Es ist alles aufgegeben!« Aber dann hat ihn ihr Mitleid herb gemacht und er hat gesagt: »Jetzt brauche ich dich nimmer!« Sie aber hat geantwortet: »Doch, Mattl, grad jetzt brauchst du mich!«

Um ein Haar wär's gut geworden und wie es auf einmal still war, ist es wirklich gewesen, als ob ein Engel durchs Zimmer flöge. Aber den Wirt muß der Teufel gepackt haben von unten her, denn plötzlich ist er rot angelaufen vor Wut und hat geschrieen: »Dich brauch' ich so notwendig, wie das schöne Wetter am Dienstag!« Und will hinausstürzen, da fällt sein Blick auf den Herrgott im Winkel und er brüllt: »Dich brauch ich auch nicht mehr!« Und reißt das Kruzifix herunter und haut die Tür zu.

Wir sind ganz blaß dagestanden, die Wirtin und ich und haben ihn noch gehört, wie er den Eisschrank aufgerissen hat und geschrieen: »Da geh hinein zu deinen stinkenden Würsten!«

Es ist totenstill in der Stube gewesen; ich hätte gern was gesagt zur Wirtin, aber mir ist das Wort im Hals stecken geblieben. Wir haben uns nur stumm angeschaut und alle zwei gefürchtet, daß es ein Unglück gibt. Aber aufhalten haben wir es nicht mehr können.

Wir haben noch gesehen, wie der Wirt dem Hund gepfiffen hat und fortgegangen ist, durch den Garten, gegen den See hinaus.

Es ist aber nicht lang still geblieben an diesem Verfallstag, an dem die ganze Rechnung hat bezahlt werden müssen bis auf den letzten Pfennig. Der Wirt ist kaum weggewesen – und er hats eigentlich noch sehen müssen – da ist ein Auto vorgefahren und zwei Herren sind ausgestiegen. Sie haben nach dem Wirt gefragt; und wie sie gehört haben, daß er nicht daheim ist, sind sie ohne viel Umstände in die Stube herein zur Wirtin, die noch ganz dasig und hilflos am Tisch gelehnt ist. Der eine, ein vierschrötiger Kerl mit einem Gesicht wie ein Nußknacker, ist gleich auf die Frau los und hat sie gefragt, ob sie die Walburga Ferstl ist und ob das denn stimmt, daß der Kollergarten ihr gehört und nicht dem Mann, dem Matthias Ferstl, der ihn als Sicherheit geboten hat für die zehntausend Mark, die er ihm geliehen hat. Er hat gleich was von einer Betrügerbande geplärrt und vom Zuchthaus und der andre, das ist der Advokat gewesen, hat Mühe gehabt, ihn wieder zu beschwichtigen.

Die Wirtin, das muß man sagen, hat sich großartig gehalten. Daß die Geschichte noch ihr dickes Ende weisen wird, ist ihr ja wohl nicht unverhofft gekommen. Sie hat dem wüsten Kerl seine Rüpeleien verwiesen und zu dem Advokaten hat sie gesagt, es wäre ja noch kein Wort drüber gefallen, ob der Mann da sein Geld kriege oder nicht. Was aber die Frage selber betrifft, so stimme es schon und sei auch im Register alles eingetragen mit ihrem Besitzrecht und dem Erbe des Anton Salvermoser. Wenn die Herren einen Augenblick warten wollten, die Abschriften hätte sie gleich zur Hand.

Sie ist schwerfällig die Treppe hinaufgestiegen in die Schlafkammer. Der Grobian hat am Fenster herumgetrommelt, der Advokat hat Papiere aus seiner Aktenmappe herausgezogen und ich habe grad fragen wollen, ob ich den Herren ein Glas Bier bringen soll, da habe ich von droben einen matten Schrei gehört. Ich bin gleich hinauf. Und da lehnt die Wirtin an der Mauer, als ob sie umsinken wollte und das Wandschränkl steht offen und ich sehs auf den ersten Blick, daß es leer ist und ausgeräumt. Die Wirtin schaut mich mit glasigen Augen an und lächelt ganz spaßig und sagt leis, sie glaubt, daß es ihr jetzt doch zu viel wird. Ich habe einen argen Schrecken gekriegt, das Riesentrumm Frauenzimmer könnte mir umfallen, ich hätte sie nicht halten können. Ich habe gleich in den Waschkrug gelangt und ihr das Wasser ins Gesicht geschüttet, da ist die Schwäche vorübergegangen.

Wirtin, habe ich gesagt und bin mir wunders wie gescheit vorgekommen, da steckt der Mattl dahinter. Sie hat gesagt, das wäre ja leicht zu ertragen und dahinter stecken tue der Mattl wohl. Aber in die Kammer und an den Schrank hätte nur einer können, von dem sie sich sowas nicht versehen hätte. Und das wäre der Anton gewesen.

Der Anton! Da ist es mir erst aufgegangen, daß der Bub nicht dagewesen ist. Er ist am Samstag in der Früh fort zu einem Kameraden in der Stadt und hätte am Montag wieder daheim sein sollen.

Die Walburga hat mirs auf die Seele gebunden, daß ich kein Wörtlein schnaufe, sie hat den Schrank wieder zugesperrt und ist zu den zwei Herren hinunter. Sie hat ganz kalt erklärt, sie finde den Schlüssel nicht; der eine hat gleich wieder zu toben anfangen wollen, aber der andre hat es gespürt, daß mit Gewalt nichts zum Ausrichten gewesen ist. Sie haben sich für den andern Tag eingesagt und sind zornig wieder abgefahren.

Geschehen hat jetzt was müssen und zwar sofort. Im Haus ist niemand gewesen, den wir hätten ins Vertrauen ziehen können und den Schandarm holen, hat uns erst recht nicht gepaßt. Da ist uns unverhofft von außen eine Hilfe gekommen.

Die Resi ist es gewesen, die rothaarige Jodlerin, die seinerzeit im Kollergarten gesungen und mit dem Anton angebandelt hat. Sie ist ganz aufgeregt zur Tür herein und hat aus ihrer Tasche ein goldnes Kreuz und ein paar silberne Marientaler gekramt und vor die Wirtin auf den Tisch gelegt. Sie ist nah am Heulen gewesen und hat ein übers andre mal beteuert, daß sie mit der Sache nichts zu tun haben will, mit dem Anton könnte es nicht stimmen, es wär ihr nicht geheuer gewesen, wie der Bub vorgestern zu ihr gekommen ist und gesagt hat, daß er jetzt in der Stadt bleibt und daß sie ihm um ein Quartier schauen soll. Sie hat ihn bei ihrer Hausfrau untergebracht. Er hat aber dann so verworrene Reden geführt, daß sie ihn auf den Kopf zu gefragt hat, ob er was angestellt hat. Er hat behauptet, es sei schon in Ordnung und in den nächsten Tagen käme sein Ziehvater, der Mattl und mache alles richtig. Wie er ihr aber das goldne Kreuz geschenkt hat, das sie früher bei der Walburga gesehen hat, da hat sie gemerkt, wie viel es geschlagen hat; sie hats zum

Schein angenommen und die Taler auch, aber mit dem nächsten Zug ist sie herausgefahren, um zu fragen, was sie tun soll.

Die Wirtin, die seit zehn Jahren kaum mehr aus dem Haus gegangen ist, hat sich nicht einen Augenblick besonnen. Es ist schon spät am Nachmittag gewesen, aber ich habe ihr ein Auto besorgen müssen und sie ist mit der Resi in die Stadt gefahren, um den Buben zu holen. Sie hat bloß Angst gehabt, der Mattl könnte ihr zuvorkommen.

Aber das hätte sie nicht zu fürchten brauchen. Denn der Wagen ist noch keine Stunde weggewesen, da haben sie den Wirt schon gebracht, als einen Toten haben sie ihn aus dem See gezogen. Es ist eine große Aufregung gewesen im Dorf und in unserm Haus gleich gar, alles ist an mir hängen geblieben, aber ich habs gern auf mich genommen, weil ich froh war, daß es die Walburga nicht mit anschauen muß, die ganzen Scherereien, bis der Wirt im Sarg gelegen ist, still und friedlich auf einmal zwischen den brennenden Kerzen.

Ich habe die Totenwache gehalten und mir manche Gedanken gemacht, warum er seine letzten Schelmenstücke nicht mehr zu Ende geführt hat. Vielleicht hats ihm doch noch gegraust vor seiner eigenen Schlechtigkeit und er ist daran verzweifelt, daß er mit aller Lumperei nicht mehr über den Berg kommt, sondern nur tiefer hinein in die Schuld und ins Verderben. Und da hat er den Buben seinem Schicksal überlassen, das dann gnädiger geworden ist, als man hätte hoffen dürfen. Und so wollen wir vertrauen, daß auch ihm selber der Herrgott gnädig war, von dem er in seiner Wut gemeint hat, er braucht ihn nimmer.

Das lästerliche Wort übrigens, obwohl es mehr als einer im Haus gehört hat, das hat keiner verraten und so hat der Mattl noch sein christliches Begräbnis gekriegt, und nach Jahr und Tag haben sich die Ältern auch wieder an die guten, früheren Zeiten erinnert und am Biertisch kann man so manches lustige Geschichtlein hören vom berühmten groben Wirt.

Die Frau ist gegen Mitternacht zurückgekommen und hat richtig den Anton mitgebracht. Er ist ratlos in der fremden Stadt gesessen und hat eine Himmelangst gehabt vor seiner eignen Schneid. Und so ist er wahrscheinlich froh gewesen, wie statt dem Ziehvater die Tante aufgetaucht ist.

Vom Geld und den Papieren hat so gut wie nichts gefehlt, der Bub hat sich ja allein nicht getraut, etwas unter die Leute zu bringen.

Wenn ihm sein Abenteuer noch nicht genügt hätte, um ihn wieder auf den rechten Weg zu bringen – die furchtbare Lehre hätte es tun müssen, daß er heimkommt und findet den Mann im Sarg, der ihn zu allem angestiftet hat. Die Wirtin, so müd sie gewesen sein muß nach all der Plage und Aufregung, hat uns alle gehen geheißen und hat sich allein zu ihrem toten Mann gesetzt. Was sie da alles gedacht hat, mag der liebe Gott wissen. Anmerken hat sie sich nichts lassen, sie ist am Mittwoch früh noch genau so dagesessen, ohne ein Wort, ohne eine Träne.

Sie hat auch zu den Leuten, die am Vormittag zum letzten Abschied gekommen sind, – und es sind gute und schlechte drunter gewesen – ein so abweisendes Gesicht gemacht, daß keiner sich getraut hätte, sie anzureden. Nur einer von den Freunden des Wirts hat sie giftig gefragt, ob sie jetzt glücklich ist. Den hat sie nur groß angeschaut und hat ganz still und fest gesagt, zum Glücklichsein sei der Mensch nicht auf der Welt, sondern zum Ausharren.

Wir haben alle gemeint, die Wirtin sollte den Kollergarten wegen dem Todesfall auf eine Weile schließen. Aber sie hat ihre Wirtschaft weitergeführt, als ob nichts geschehen wäre. Sie ist selber, so hart es sie hat ankommen mögen, in die Stube zu den Gästen und hat das Gerede verstummen machen, das überall aufgeflackert ist. Die Schulden hat sie bezahlt bis auf die letzte Mark. Man glaubt nicht, wie viele auf einmal was zum Fordern gehabt haben, wie es ruchbar worden ist, daß sie sich zu den Verpflichtungen ihres Mannes bekennt. Aber sie hat lieber den Schmuck und den letzten Tauftaler drangesetzt, als daß sie auch nur einem erlaubt hätte, zu behaupten, er hätte sein Geld nicht gekriegt.

Langsam ist der alte Kollergarten wieder in die Höhe gekommen, aber der Betrieb des Wirts ist abgebrochen worden, es steht keine Planke mehr davon. Im Jahr achtunddreißig ist die Walburga gestorben; sie war schon alt und verfallen seit langem und man hat sich nur wundern können, was für ein starker Wille das schwache Fleisch zusammengehalten hat.

Den Kollergarten hat dann der Anton geführt, der ein

braver und rechtschaffner Mensch geworden ist. Er hat ein Jahr später, kurz vorm Krieg, geheiratet und ich habe ihm einen Sohn, den kleinen Anton, aus der Taufe heben dürfen. Aber im Jahr zweiundvierzig hat er einrücken müssen und acht Monate später ist er in Rußland gefallen.

Voriges Jahr hat die Witwe wieder geheiratet und es ist ein neuer Wirt aufgezogen. Sie hätten mich noch gern behalten, aber für ein neues Regiment gehören neue Leute her, und es ist vielleicht besser, wenn niemand mehr dort waltet und schaltet, den von jedem Tisch und Stuhl die alten, traurigen Erinnerungen anschauen.

Die Hausiererin

Vor dreißig Jahren, so lange muß es her sein, denn ich war sechzehn damals, vor dem großen Krieg, im Urfrieden, wie wir ihn heißen wollen zum Unterschied von jenem trügerischen, nachher; vor dreißig Jahren also habe ich mit meinem Bruder eine Fußreise durch den Bayrischen Wald gemacht. Es ist Juli gewesen, glühender Sommer, so, wie es, meinen wir heute, gar keinen Sommer mehr gibt, kochender, weißhitziger, wälderkühler Juli, und die großen Ferien sind vor uns gelegen, endlos, kaum herumzubringen, schien es uns, ein tiefer Raum der Freude und der Bubenabenteuer, und die kleine Wanderfahrt stand am Rande des zaubrischen Kessels, viele Wochen noch waren hernach auszuschöpfen, der ganze August und der halbe September.

Wir sind von Passau mit dem Schiff bis Oberzell gefahren und dann über die Berge hinauf ins Böhmische, wieder heraus nach Eisenstein und an den Arber; zuletzt noch, weil wir nicht genug kriegen konnten, und weil wir Füße hatten wie die Hirsche, sind wir noch in den Oberpfälzer Wald hinübergewechselt, bis Flossenbürg hinauf und Waldsassen, die gewaltige Burg zu sehen, gegen deren Wucht die Schlösser am Rhein, die ich später sah, nur Spielzeuge sind, und das herrliche Kloster, von dem mir freilich nur noch ein ungewisser, rosafarbener Schimmer von schwerem Prunk geblieben ist – aber dieses Verschmelzen macht ja oft die Erinnerung erst köstlich und gibt ihr den geheimnisvollen Goldglanz alter Bilder.

Nur in der Jugend nimmt der Mensch alles so lebendig auf, wie wir's damals taten, wie hungrige Wölfe sind wir durch das Land gelaufen, schwere Wälder und düstere Seen, duftblaue Fernen und grüngrüne Wiesen, Felstrümmer und Ruinen voller romantischer Geschichten, bunte Kirchen und alte Städte, wie haben wir sie bestaunt! In den Bächen haben wir Forellen und Krebse mit der Hand gefangen, in Wirtshäusern sind wir nur sparsam eingekehrt, wenn es grad hat sein müssen, die Totenbretter haben uns einen unvergeßlichen Eindruck gemacht, wie sie still dagestanden sind an den Straßen der Lebendigen. Den Bauern aber und mehr noch den Köhlern und Pechbrennern im Wald, den Steinklopfern und besonders den Glasbläsern zuzuschauen, sind wir nicht müde geworden. Wenn die so im Feueratem ihrer Öfen standen und den zähen, rotglühenden Klumpen an ihren Rohren bliesen und schwangen, das war uns immer wieder ein Wunder, wie mir ja heute noch die kluge Dienstbarkeit dieses formwilligsten aller Stoffe ein unbeschreiblich holdes Geheimnis bleibt.

Im Grunde ist aber doch die ganze Fahrt zu einer schönen Wildnis der Erinnerung zusammengewuchert, aus blauem Feuerlicht und grüngoldner Dämmerung, mit all ihren Fichten und Granitblöcken und altem Gemäuer, mit Pilzen und Erdbeeren, mit Nattern und Faltern, mit Menschen und Märkten. Und nur, wenn ich Stifter lese, den ich damals kaum kannte und den ich seither, im zunehmenden Alter erst liebgewonnen habe, dann wird der bunte Teppich, den ich mir damals wob mit Aug und Ohr und allen jungen Sinnen, wieder zu lebendigem Gewirk, ungeachtet der dreißig Jahre, die inzwischen vergangen sind, voller Waffenlärm, Not und zerreißender Schrecken, dieser dreißig Jahre, die mein und unser aller Leben geworden sind, seitdem.

Wunderlich, wie der Mensch nun einmal ist, zwei Erlebnisse sind mir besonders haftengeblieben, ungleich und drollig, wie nur je ein Paar gewesen sein mag: das eine nämlich, fast schäme ich mich, es zu sagen, daß wir in Eslarn das größte und beste Stück Rindfleisch bekommen haben, das ich je gegessen zu haben meine – und das andere jene Begegnung mit der Hausiererin und ihre Geschichte, die uns gleich darauf von der Lammwirtin in Schöllau erzählt worden ist und in die wir auf eine seltsame Weise einbezogen worden sind.

Wir waren schon lang unterwegs gewesen und sahen gewiß nicht mehr zum besten aus, als wir am Abend in Schöllau einrückten, verschmutzt und verstaubt nach einem langen, heißen Marschtag. Und da ein gewaltig drohendes Gewitter blauschwarz am Himmel stand, überredeten wir einander leicht, für diesmal auf sparende Abenteuer zu verzichten und wieder so etwas wie einen bürgerlichen Abend einzuschalten.

Auf dem Dorfplatz, vor dem Wirtshause, das mit Lichtern und einem feuervergoldeten Lamm über der Tür freundlicher als sonst oft im Bayrischen einlud, stand eine mächtige, wie von uralter Gicht knotige und gebuckelte Linde, um die eine Bank lief. Auf die stellten wir unsere umfangreichen, von Kochgeschirr und allerlei Gerät klappernden Rucksäcke und machten uns daran, unsere Schuhe abzustauben, die Haare zu kämmen und überhaupt ein wenig zu verschnaufen, damit wir nicht wie Stromer, sondern doch einigermaßen als fahrende Schüler in die Gaststube träten. In der tiefen Dämmerung, die von der einen Seite her durch die Lampen des Gasthofes erhellt wurde, während die andere in um so dunklerem Schatten lag, zählten wir auch unsere bescheidene, auf traurige Reste zusammengeschmolzene Barschaft, um uns vor der Überraschung zu sichern, einer vielleicht ungewohnt hohen Forderung nicht gewachsen zu sein. Mit anderthalb Mark auf den Kopf war, unserer Erfahrung nach, zu rechnen, und vier Mark waren es, die wir, wenn wir auch die kleine Münze zusammenkratzten, noch unser Eigen nannten.

Der kommende Tag und der Ausgang der Reise machte uns wenig Sorge, da wir bis zum Abend leicht Tirschenreuth zu erwandern gedachten, wo ein entfernter Vetter als Amtsrichter wohnte, der uns wohl aushelfen würde. Für heute allerdings konnten wir keine großen Sprünge machen, und schier war es ein Wagnis, das Wirtshaus zu betreten.

Unterdes war die Wolkenwand hoch hinaufgestiegen, ein lauer Wind hatte sich erhoben, und ein Seufzen und Ächzen ging durch den großen Baum. Meinem Bruder hatte sich, da wir schon das Gepäck aufnahmen, das Schuhband gelöst, und als er es nun knüpfen wollte, zerriß es, und, wie aus seiner wüsten Beschimpfung des unschuldigen Dings zu vernehmen war, heillos und endgültig. Vergeblich mühte er sich, es noch einmal zu knoten, doppelt ungeschickt in der Finsternis und im Zorn über mein mitleidloses Gelächter. Da hörten wir dicht neben uns eine tiefe und harte Frauenstimme sagen: »Schuhlitzen hätt' ich gute, junger Herr!« Und wir gewahrten jetzt erst, daß auf der abgekehrten Seite der Bank eine alte Frau saß, wohl schon lange gesessen war, die nun durch ihre Worte und zugleich durch einen fahlen Wetterschein wie hergezaubert, ebenso rasch aber wieder ausgelöscht, einen gespenstischen, hexenhaften Eindruck auf uns machte. Vielleicht war auch sie es gewesen und nicht der Baum, was so geseufzt und gelispelt hatte, denn sie ächzte auch jetzt wieder im Dunkeln, als wäre ihr eine schwerere Last aufgebürdet als der mächtige, mit Wachstuch überschnürte Weidenkorb, den wir im jähen Licht neben ihr auf der Bank hatten stehen sehen.

Wir waren zuerst erschrocken, so nah, ohne es zu wissen, in eines Menschen Bereich gewesen zu sein, aber rasch faßte sich mein Bruder ein Herz und sagte, halb noch grollend über sein Mißgeschick, die Frau möge, wenn sie schon so wunderbarerweise als Engel in der Not geschickt sei, ihre Schnürbänder hergeben, zu einer solchen Ausgabe reiche zuletzt noch unser schmaler Beutel; und er fragte, was die Litzen kosten sollten. Wiederholte und stärkere Entflammungen des Himmels erleichterten den kurzen Handel, ließen uns auch die Greisin deutlicher erkennen. Sie war groß und hager, scharfen Gesichts und nicht unedler Züge, wie aus Luft und Feuer schien sie gemacht, die im Finstern Sitzende, von Blitzen Erhellte, schön mußte sie einmal gewesen sein, das war noch abzulesen von dürrer Stirn und welker Wange, und als sie sich jetzt erhob, war sie eine Riesin, eine Drude, gebieterisch stand sie da, aber ungewiß schien es, welchen Geistern sie geböte, guten oder schlimmen.

Mein Bruder fingerte zwei Zehner aus dem Geldbeutel, die Frau holte inzwischen ihre Senkel aus dem Korb, fünfzehn Pfennige, sagte sie und reichte die Ware herüber, fast gleichzeitig mit der anderen kralligen Hand das Geld fassend, Zug um Zug. Dann griff sie in ihre Tasche, offenbar, um den Fünfer herauszugeben, aber mein Bruder winkte ab und ging, die Bänder einzufädeln, gegen das hellere Haus zu, wo gerade ein vierschrötiger Mann mit lautem Schollern ein Bierfaß herauswälzte.

Ich schwang meinen Rucksack auf eine Schulter, nahm den meines Bruders in die Hand und war im Begriffe, ihm zu folgen, aber die Greisin, die magere Lederhand schier herrisch gegen mich ausgestreckt, tuschelte mir nach: Wenn der Große zu stolz sei, dann sei vielleicht der Kleine klug genug, und ich sollte das Geld nur nehmen, es laufe einem ohnehin selten genug nach in der Welt.

Ich habe damals vielleicht wirklich daran gedacht, es könnte, wenn es der Teufel wolle, auf jeden Pfennig ankommen, aber es war doch mehr Zwang und Verwirrung, als der Wille, das Geld zu nehmen: unter ihrem herben, einschüchternden

Drängen ergriff ich die Münze. Da merkte ich, daß es kein Fünfpfennigstück war, sondern eine blanke Mark, und erschrocken ging ich auf die Alte zu, ihr wiederzugeben, was mir nicht zukam. Aber sie wehrte ab, ängstlich zog sie die Hände an sich, nein, es sei kein Irrtum, aber ein junger Mensch dürfe doch wohl von einer alten Frau etwas annehmen, und Gott wolle es mir segnen, sagte sie und sagte es, eindringlich, ein zweites und drittes Mal, Gottes Segen auf diese Mark, sagte sie, daß es mir gar wunderlich vorkam.

Sie hob mit einem kräftigen Ruck ihren Korb auf den Rükken, seufzte tief auf und ging in die Nacht hinaus, ungeachtet der ersten, schweren Tropfen, die in diesem Augenblick, von einem stärkeren Blitzschein erfunkelnd, zu stürzen begannen. Mit der jäh wieder einfallenden Finsternis war auch sie verschwunden, wie in einer Verzauberung mich zurücklassend.

Sprachlos stand ich da, nicht einmal bedankt hatte ich mich für die Spende, die ich nicht zu deuten wußte.

Für einen armen Teufel bin ich späterhin noch mehr als einmal gehalten worden, und dann hatte es immer etwas Belustigendes gehabt in aller Beschämung. Aber damals, als Bub fast noch, war ich der Sache doch nicht recht gewachsen, sie war ja wohl auch geheimnisvoll genug. Jedenfalls, ich hatte die Mark in der Hand, zurückgeben konnte ich sie nicht mehr, so schob ich sie denn in die Tasche, und meinem Bruder sagte ich nichts davon.

Als wir jetzt in die Wirtsstube traten, in der an blankgescheuerten Ahorntischen nur noch ein paar Bauern saßen, wurde mir die Mark in der Tasche unversehens zu Fortunati Glückssäckel, und leicht bewog ich meinen knausernden Bruder zu kühneren Bestellungen, die freilich immer noch bescheiden genug waren und in einem Glas hellen Bieres für jeden gipfelten, das wir aus zinngedeckelten Gläsern tranken. Nach dem Essen, wie es so Sitte ist auf dem Lande, schlurfte die Wirtin herbei, einen guten Abend zu bieten und nach dem Woher und Wohin zu fragen, mit jener unverhohlenen Neugier, die dem Volke selbstverständlich ist. Mit Verlaub, sagte sie, das Strickzeug in der Hand, und nahm uns gegenüber Platz.

Wenn die Hausiererin vorhin aus Luft und Feuer gemacht schien, so waren Erde und Wasser die Elemente, denen die Wirtin untertan sein mußte. Breit und aufgequollen, saß sie da, viel jünger als jene Greisin, eine gute Vierzigerin vielleicht, von einer etwas stumpfen Gutmütigkeit mochte sie sein, wie sie jetzt Bericht verlangte und selber gab, so, Studentlein wären wir, aus München, und dort wäre sie auch gewesen, vorzeiten, als Köchin beim Radlwirt in der Au, den müßten wir ja wohl kennen.

Indes sie so sprach, hub draußen das Gewitter, das lang verzogen hatte, in prallen Güssen, die ans Fenster schlugen, im wilden Rauschzorn der Bäume und im feurigen Huschen der Blitze sich zu entladen an. Unser beider Gedanke galt sofort der Greisin, und mein Bruder sprach es auch sogleich jammernd aus, wie die Frau zu bedauern sei, die jetzt bei solchem Sturmregen, so spät über Land gehe, wer wisse, wohin und wie weit noch.

Mit der Frau, sagte die Wirtin, und ihr Gesicht wurde auf einmal abweisend und hart, mit der Frau brauchten wir kein Mitleid haben. Und wir hätten gewiß auch keins mehr, wenn wir sie so gut kennen würden, wie sie, die Wirtin, die alte Höltlin nun einmal kenne. Die müßte gar nicht über Land gehen, mit ihren siebzig Jahren, denn die wäre reicher als alle miteinander, die da in der Stube herinsitzen.

Und wie wir nun zu erfahren begehrten, was es mit jener wunderlichen Frau auf sich habe, fing sie an zu erzählen von der Höltlin, die draußen vorm Wald ein Haus hat und früher einmal weitum im Bayerischen und Böhmischen bekannt gewesen ist. Sie hat da die alten Sachen aufgekauft, Truhen und Holzfiguren und Schüsseln, Seidentücher und Meßgewänder, nur das Beste und Schönste. Da ist sie dahinterher gewesen, wie der Teufel hinter der armen Seele, und alles hat sie aufgeschnüffelt, wie wenn sie es riechen hätte können. Wo keiner von den anderen Händlern mehr was gefunden hat oder wo es ihm die Bauern oder der Pfarrer rundweg abgeschlagen haben, die alte Hexe hat es geholt. Das heißt, so verbesserte sich die Wirtin, die Erzählerin, alt ist sie damals noch nicht gewesen, es sind ihr sogar die Mannsleut nachgelaufen seinerzeit, aber sie hat für nichts anderes Sinn gehabt als für ihren Handel. Die ist nur in die Kirchen gegangen, wenn sonst niemand drin war, und hat die Gebetbücher nach schönen Heiligenbildern durchgefilzt oder hat geschaut, ob nicht wo ein Barockengerl ein bißl locker hängt, auf das keiner aufgepaßt hat. Und wenn wo ein altes Leut gestorben ist, dann war die Leiche noch nicht kalt, bis sie gekommen ist, um den Nachlaß zu erschachern.

Jedes Jahr, im Mai, im Juli und im Oktober, so berichtete die Frau, ist sie mit ihrem Mann und ihrem Buben nach München hinauf, zur Auer Dult, und ihr Stand ist der reichste und schönste gewesen, und es sind wegen ihr allein Leute bis von Berlin auf die Dult gekommen.

Die Höltlin ist aber selber ganz vernarrt gewesen in ihre schöne Ware, und ein boshaftes Luder war sie obendrein. Sie hat die besten Stücke ausgelegt, aber wenn wer nach dem Preis gefragt hat, dann ist sie bloß grob geworden; das wär' schon für wen aufgehoben, oder, ein Prinz wär' grad dagewesen, der Prinz Alfons, der hätte es gekauft. Und wenn sie die Leute genug damit geärgert gehabt hat, dann hat sie die schöne Ware wieder in die Kisten verpackt und hat herumerzählt, das gehe weit fort, ins Amerika.

Manche Schnurre wußte die Wirtin noch beizusteuern, so, daß einmal ein reicher Herr sich einen Spaß mit ihr gemacht habe; der habe einen schönen Walzenkrug stehen sehen, ein Lieblingsstück von ihr, das sie nur als Lockvogel hingestellt habe und das ihr nicht feil gewesen sei. Was der Krug kosten solle, habe er sie gefragt, und sie habe höhnisch gesagt, hundert Mark, und sie hätte grad so gut sagen können, er solle sich zum Teufel scheren. Aber der Herr habe kaltblütig einen blauen Lappen auf die Budel gelegt, und weil grad ein paar andere Händler dabeigestanden seien, habe sie nicht mehr zurückkönnen, und der Herr habe noch recht spöttisch gesagt, sie solle ihm den Krug ja recht vorsichtig einwickeln. Am liebsten hätte sie ohnehin alle zwei in Scherben geschlagen, den Krug und den Käufer dazu.

Die Wirtin, als sie das erzählt hatte, lachte mit einer bösen Heiterkeit, bei der uns nicht wohl war. Aber ehe wir wußten, was wir sagen sollten, fuhr sie schon in ihrem Bericht fort, von dem Mann redete sie jetzt, verächtlich, von dem lausigen Krisperl, das von dem bösen Weibsteufel nur so gepufft und herumkommandiert worden sei, wer weiß, warum sie grad den geheiratet habe. Der habe, auf der Dult draußen, nur so dabeistehen dürfen, und wehe, wenn er gewagt hätte, selber was zu verkaufen oder auch nur einen Preis zu nennen. Wie ein Hund habe der Höltl folgen müssen, und wenn ihn die Frau wohingestellt und drauf vergessen habe, dann sei er am

Abend noch dortgestanden, bei Schnee und Regen. Wenn es dann Nacht geworden sei, habe sie ihn laufen lassen, zwei Mark habe sie ihm gegeben, zum Vertrinken. Und einmal wären es statt zwei Mark fünfe gewesen, weiß der Teufel aus was für einer Laune heraus, und die habe der Mann genau so gehorsam vertrunken. In der Nacht habe er dann, in seinem Rausch, ein offenes Fenster für ein Abtrittbrett gehalten, und hinterrücks sei er aus dem zweiten Stock gefallen. Und wie sie ihn am anderen Tag in der Früh gefunden hätten, wäre gleich die Frau geholt worden, aber die, so wurde berichtet, hätte nur gesagt, der habe sich ja sauber in den Tod gesoffen um die fünf Mark. Und daran, daß sie jetzt eine Witwe war, hätte sie nicht schwer getragen.

Mein Bruder und ich, wir sind damals noch fast Kinder gewesen, aus einem wohlbehüteten Elternhaus, und die rohen Schrecken schwerer Zeiten, die nachdem gekommen sind, hatten uns noch mit keinem Anhauch getroffen. Wir lauschten beklommen, es war uns, als blickten wir in einen Abgrund, aber um so begieriger waren wir, seine fremden, schaudernden Tiefen auszumessen. Die Wirtin, unsere Spannung gerne gewahrend, ließ den Strickstrumpf sinken, horchte einen Augenblick in das schon vertosende Wetter und rückte dann, in der völlig leer und still gewordenen Stube, näher zu uns her, das sei alles nichts, sagte sie, was sie bisan erzählt habe, jetzt aber komme die eigentliche Geschichte. Der Höltlin ihr Sohn, fuhr sie fort, ist ein Taugenichts gewesen aus den Windeln heraus. Mit dem ist sie nicht so leicht fertig geworden wie mit ihrem Mann. Das Geld hat er ihr aus dem Kasten gestohlen, und später hat er ihr die schönste Ware davongetragen und heimlich verkauft. Sie hat aber an dem Buben einen Narren gefressen gehabt und hat es vor den Leuten nie zugeben wollen, daß ihr Sohn stiehlt. Da hätten die anderen Lumpen sich lustig machen können, meinte die Wirtin, und damit prahlen, daß man von der alten Höltlin nichts kaufen kann, aber vom jungen Höltl kriegt man's halb geschenkt. Und ganz Unverschämte hätten ihr solche Erwerbungen gar unter die Nase gehalten, einen Enghalskrug oder ein Stück gotischen Samt, und scheinheilig gefragt, ob sie denn das nicht für gut und echt halte, weil sie es so billig habe losschlagen lassen durch ihren Sohn. Das sei die rechte Hölle gewesen für die Frau; sie habe immer zugetragen, und der Bub habe davongeschleppt, und es sei wie ein Faß ohne Boden gewesen. Oft habe einer hören können, wie sie ihren Sohn laut verflucht hat, die Hände sollen ihm abfaulen, wenn er noch einmal was anrührt. Aber das Früchterl, das sie mit der bloßen Faust hätte niederschlagen können, habe eine wunderliche Gewalt gehabt über die Mutter, die sonst den Teufel nicht geforchten hat.

Dem jungen Höltl, erzählte die Wirtsfrau, und sie sagte es so kalt und leise, daß uns schauderte, dem sind dann wirklich die Hände abgefault, wie seine Mutter es ihm angeflucht hat. Wie er es gar zu arg getrieben hat, ist sie doch auf die Polizei, und die hat dann zuerst einmal den Hehlern das Handwerk gelegt. Der Bub aber ist gleich ganz schlecht geworden, er ist unter die Schwärzer gegangen und hat aus dem Böhmischen ins Bayrische und von da wieder hinübergetragen und getrieben, was ihm unter die Hände gekommen ist. Aber nicht lang. Schon im Herbst ist er verschollen gewesen, und ein Grenzer hat gemeldet, daß er in der Finsternis auf einen geschossen hat, der nicht hat stehenbleiben wollen; man hat gleich alles abgesucht, aber es ist nichts gefunden worden.

Im nächsten Sommer erst sind Kinder vom Erdbeerzupfen heimgelaufen, ganz käsig und verschreckt, im Holz draußen läge einer so still und hätte auch auf ihr Rufen keine Antwort gegeben. Wie sie ihn dann geholt haben, ist es der junge Höltl gewesen, die Leiche war noch gut zu erkennen, ein wenig eingeschnurrt von der Hitze; bloß die Hände waren im Feuchten gelegen und waren abgefault bis auf die Knochen.

Die Höltlin habe zwar laut gesagt, daß es um den Bazi nicht schad wäre, aber es sei halt doch ihr einziger Sohn gewesen. Sie hat in ihrem Haus herumrumort wie ein Geist, und man hat oft die halbe Nacht ein Licht wandern sehen von Zimmer zu Zimmer, da ist sie ohne Ruhe hin und her gelaufen, hat ihre schöne Ware angeschaut und geweint und geflucht dazu. Der Sohn, der sie ihr gestohlen hat, ist tot gewesen, aber sein Wort ist lebendig geblieben übers Grab hinaus. Denn wenn sie ihm angewunschen hat, es möchten ihm die Hände abfaulen, dann hat er dagegengeschrien, und die Nachbarn haben es mehr als einmal gehört, ihr solle dafür das ganze Haus überm Kopf verbrennen mit all dem Gelump und sie selber dazu.

Seit sie den Sohn so gefunden hätten, sagte die Wirtin, sei die Höltlin nimmer auf die Dult. Sie kaufe nichts mehr, nicht das schönste Stück, aber verkaufen tue sie auch nichts, in ihr Haus lasse sie keinen Menschen hinein. Oft hätten ihr früher hämische Leute einen ahnungslosen Fremden geschickt, er könnte dort, bei der Witwe, preiswert was erhandeln. Solchen ungebetenen Gästen werfe sie zornig die Tür vor der Nase zu, und einem ganz Hartnäckigen sei sie einmal mit einem brennenden Holzscheit bis auf die Straße nach. Der Mann habe später erzählt, sie hätte das glimmende Scheit in die nasse Erde gestoßen und ein Sprüchel dazu gemurmelt, ein ganz grausiges und wildfremdes. Aber wer weiß, ob das wahr sei.

Seit der Zeit handle die Höltlin, um sich durchzubringen, mit Hausierkram. Wenn sie nur einen einzigen Rauchmantel oder eine Figur hergeben wollte, möchte sie mehr Geld kriegen als für einen Monat, ja, für ein halbes Jahr Herumlaufen. Aber es sei, als ob sie nichts hergeben dürfte, als ob sie alles, Stück für Stück, aufheben müßte für den Tag, an dem der Fluch von ihrem Sohn auf das Haus komme, mit allem, was darin ist. Und daß der Tag komme, und wenn sie hundert Jahre alt würde, das wisse sie selber, und das wissen die Leute alle. Aber Mitleid, so schloß die Erzählerin, die böse, kaltherzige, Mitleid brauche keiner zu haben mit der alten Hexe, sie sei ihr Leben lang geizig und hart genug gewesen. Der Herrgott tue keinem mehr, als was er verdient – und was sie mit dem Teufel habe, das sei ihre Sache!

Ich war ergriffen von dem Schicksal der alten Frau, und meinem Bruder mochte es nicht anders zumute gewesen sein. Wir schwiegen und schauten ratlos auf die Tischplatte. Die wirkende Gewalt des Fluches war uns bisher nur in Sagen und Gedichten begegnet, hier aber war sie eine schier selbstverständliche Wahrheit, mächtig unter leibhaftigen Menschen, die daran glaubten.

Mochte die andere eine Natter sein, die Wirtin war dann eine Kröte, wie sie nun schwerfällig aufstand, nach ihrer unheimlichen Geschichte, die sie vielleicht oft schon erzählt hatte, wer weiß, ob nicht einzig darum, daß sie das Mitleid abgrübe in jedem Herzen. Ich mißtraute jedenfalls ihrer selbstgerechten Biederkeit.

»Sie haben uns, Frau Wirtin«, ergriff ich stockend das

Wort, »mehr von Unheil berichtet als von Schlechtigkeit; wenn die Frau wirklich so bös ist, dann ist sie gestraft genug, daß sie so leben muß in Zorn und Ängsten; sie hat das Fegefeuer schon auf Erden, und die arme Seele wäre jetzt schon eher ein Vaterunser wert als ein so strenges Urteil.«

Ich war schon daran, ihr von unserer Begegnung zu erzählen, aber sie kam mir zuvor. Ich wäre noch ein junger Mensch, sagte sie, und würde es schon noch verlernen, jedem barmherzig zu sein, der es nicht verdiene. Gestern vielleicht hätte sie noch mit sich reden lassen über die Höltlin, aber heute nicht mehr. Und sie fing, erboster als zuvor, eine neue Geschichte an.

Die Hexe, sagte sie, sei ja grad da herin gewesen, hier bei ihr in der Stube, und wenn sie, die Wirtin, noch daran gezweifelt hätte, daß die Höltlin ein schlechtes Mensch ist, jetzt wisse sie es gewiß. Um eine Mark habe sie sie geprellt, das habgierige Luder, das habgierige, zum Dank, daß sie ihr was abgekauft habe von ihrem schundigen Kram. Um sechzig Pfennige seien sie handelseinig geworden, und sie, die Wirtin, habe ihr die Mark da auf den Tisch gelegt. Die andere habe ihr die vierzig Pfennig herausgegeben und dreist die leere Hand aufgehalten und behauptet, daß sie die Mark noch nicht gekriegt hätte. Sie, die Wirtin, habe gesagt, da habe sie ja die Mark hergelegt, und daliegen tue sie nimmer, also habe die Höltlin sie wohl eingeschoben. Da sei die ganz fuchsteufelswild geworden und habe alle Heiligen zu Zeugen angerufen, daß sie von keiner Mark etwas wisse. Mit ihr streiten, habe sie, die Wirtin, gesagt, wolle sie nicht, da könnte eines genau so gut mit dem Leibhaftigen selbst streiten; und sie habe eine zweite Mark vor die Höltlin hingelegt, die habe sie gewiß nicht übersehen können. Da sei die Mark, habe sie zu ihr gesagt, aber einen Fluch tue sie drauf, daß sie dem hundertfaches Unglück bringen soll und einen unseligen Tod, der sie zu Unrecht einsteckt; und der Herrgott dürfe zuschauen bei dem Handel. Und da habe das Weib gewinselt und gebettelt, sie, die Wirtin, sollte den Fluch wieder wegtun von dem Geld, sonst kann sie es nicht nehmen. »Höltlin«, habe sie gesagt, »ich verfluche ja nur meine Mark. Wenn sie rechtens dir gehört, kannst du sie ja ruhig einstecken, dann hat ja der Fluch keine Kraft über dich.« Und da habe sie das Luder richtig in ihrer eigenen Schlinge gefangen:

sie habe die Mark nehmen müssen, wenn sie es nicht selber habe zugeben wollen, daß sie sie um ihr Geld geprellt habe. Viel Freude würde sie an der Mark nicht haben – so schloß die Wirtin mit einem hämischen Lachen.

Zugleich stand sie auf, sie habe, sagte sie, uns lang genug aufgehalten, und ihre Frage, ob wir noch ein Glas Bier wollten, war eher eine Mahnung zum Aufbruch. Wir dankten denn auch und fragten nach unserer Schuldigkeit, alles in allem, da wir vielleicht morgen recht zeitig aufbrächen. Die Wirtin schaute uns abschätzend an: ob uns, für alles, zwei Mark zuviel wären? Wir wußten nicht recht, und das war uns peinlich genug, ob sie das für einen allein berechne oder für beide zusammen. Für alle zwei wäre es eine Bettelmannszeche gewesen, für einen allein war es, vor dem Weltkrieg, im hintersten Bayrischen Wald, nicht gerade billig. Mein Bruder, der das Geld einstecken hatte, war wohl der Meinung, es heiße zwei Mark für den Kopf zahlen, und legte drei Mark auf den Tisch, die vierte fischte er aus dem Kleingeld zusammen. Er bekam einen roten Kopf, es schien nicht mehr ganz zu reichen. Die Wirtin sagte, aber sie sagte es um einen Ton zu patzig, wenn wir so schlecht gestellt wären, gäbe sie sich mit dem Taler auch zufrieden, sie sähe schon, daß sie heute nicht zu ihrem Gelde kommen sollte. Aber da hatte ich schon die Mark aus der Tasche geholt und legte sie schweigend zu den übrigen. Je nun, meinte die Wirtin, indem sie das Geld einstrich, wenn es die jungen Herren so nobel gäben, solle es einer Wirtin nicht ungelegen sein. Und so komme sie wohl auch, setzte sie listig lächelnd dazu, doch wieder zu der Mark, die sie bei dem Hexenhandel eingebüßt habe.

Mein Bruder, der doch wußte, wie abgebrannt wir waren, machte große Augen, als er das Geldstück sah, aber fürs erste erleichtert, steckte er seinen Beutel wieder ein. Ich aber fragte, von den wunderlichen Fügungen dieses Abends zutiefst betroffen, zweideutig die Wirtin, ob sie denn, da es vielleicht wirklich die Mark sei, die sie verflucht habe, keine Angst spüre, sie wieder einzunehmen. Sie lachte verlegen zu dem schlechten Scherz. Ob ich, meinte sie unsicher, damit sagen wollte, daß sie uns übernommen hätte. Das müßte sie selber wissen, gab ich ausweichend zur Antwort, jedenfalls sei sie, die Wirtin, jetzt in der nämlichen Verlegenheit, in die sie die arme Hausiererin gebracht hätte. Ich könnte ja, sagte ich lauernd, insgeheim von ihr, der Wirtin, das Geldverfluchen gelernt und eine kräftige Verwünschung auf die Mark gelegt haben. Ich ließ bei diesen Worten alles in der Schwebe, so daß die Frau, so unbehaglich es ihr war, die Anspielung doch für einen Spaß nehmen mußte, auf den nicht ernsthaft zu erwidern war. Ich hatte aber das Gefühl, daß sie ursprünglich nicht mehr als zwei Mark für uns beide hatte rechnen wollen, daß sie aber, als mein Bruder Miene machte, vier zu bezahlen, von Habgier erfaßt, rasch ihre Meinung änderte, und daß ihr jetzt meine Anzüglichkeit doch recht das Gemüt beklemmte. Ziemlich unwirsch bot sie uns eine gute Nacht und rief die Magd, uns auf unsere Stube zu führen.

Die Kammer droben stand im vollen Mondlicht, das Wetter hatte sich verzogen, ein leichter Nachtwind schüttelte Tropfen aus der Linde, die vor unserem Fenster stand. Rasch zogen wir uns aus und schlüpften in die ächzenden Betten. Woher ich die Mark gezaubert hätte, wollte mein Bruder wissen. Ich ließ ihn raten. Es sei, meinte er, wirklich die Mark gewesen, die die Wirtin zuerst der Hausiererin gegeben, die sich koboldig verschlüpft habe – und ich hätte sie, vielleicht unterm Tisch, gefunden. »Fehlgeraten«, sagte ich, und schon im Einschlafen erzählte ich ihm, in wenigen Sätzen, wie es sich zugetragen hatte. Neugierig sei er, sagte mein Bruder, wie das hinausginge mit dem Fluche; und ob ich nicht auch fände, daß vier Mark unverschämt viel verlangt sei, bei so schlechten Betten obendrein. Und warf sich, ohne eine Antwort abzuwarten, auf die andere Seite. Ich blies das Licht aus und schwieg; noch vieles bedenkend, trieb ich ins Ungewisse hinaus, in die schwere Tiefe des Schlafes. Da erklang noch einmal, unerwartet die Stimme meines Bruders: »Da steckt irgend etwas dahinter«, sagte er; »die zwei Weiber, und ich drehe die Hand nicht um, welche mir die liebere ist, streiten um mehr miteinander als um ein Markstück.« Und dann waren wir beide wieder still. Der Mond schien herein, kaum konnte ich mich bergen vor seinem fließenden Licht. Aber ich schlief schon, da rief mich noch einmal mein Bruder wach: Ob ich, fragte er, an den Fluch überhaupt glaube? Ich murmelte nur irgend etwas, ich wüßte es nicht, und ich wußte es wirklich nicht, ich weiß es auch heute noch nicht, nach dreißig Jahren.

Jedenfalls, von der Hausiererin haben wir nie mehr etwas gehört, der nächste Tag galt neuen Zielen, auch die Wirtin sahen wir nicht mehr, als wir, mit dem frühesten, aufbrachen. Aber sechs, sieben Jahre später, wir hatten schon den ganzen Krieg hinter uns, und die silberne Mark von damals war längst, wenn sie nicht die Wirtin im Strumpf versteckt hatte, dahingeschwommen im papiernen Strom, sechs, sieben Jahre später las ich ganz zufällig in der Zeitung, daß das Gasthaus zum Goldenen Lamm in Schöllau abgebrannt sei bis auf die Grundmauern. Ich weiß nicht, ob das ein Zufall gewesen ist, denn es brennen ja schließlich im Laufe der Jahre oft genug Bauernhöfe und Wirtshäuser nieder, warum sollte nicht auch das Goldene Lamm einmal in Feuer aufgehen irgendwo da droben im Wald an der böhmischen Grenze . . .

Das Kind im Walde
Die Geschichte des Holzknechtes

Das ist heut mein letzter Tag im Wald. Ich hätte vor drei Jahren schon aufhören sollen mit der Holzarbeit, weil ich die Altersgrenze erreicht gehabt habe. Ich hab es kommen sehen, aber wie mir's der Forstverwalter so ins Gesicht gesagt hat, daß es ihm leid tut, aber daß er mich nicht mehr beschäftigen kann, da ist mir doch das Wasser in die Augen geschossen. Was, hab ich geschrien, ich tät nicht mehr taugen zur Arbeit? Und hab den Forstverwalter, der ein schwerer Mann gewesen ist, mit beiden Fäusten gepackt und frei in die Höhe gestemmt. Und da hat er unbändig gelacht und hat gesagt, wenn ich es ihm so handgreiflich zeige, wolle er mich noch ein paar Jahre mittun lassen.

Aber jetzt ist meine Zeit um; fünfzig Jahre bin ich in den Wald gegangen und auf dem ganzen Höllkopf gibt es keinen Schlag, in dem nicht meine Axt mitgeklungen hat. Heut ist Samstag und für mich der letzte Zahltag. Ich hab den toten Waldkauz da mitgenommen, es ist nicht viel dran, aber ich lasse ihn mir ausstopfen. Wer weiß, woran er zugrunde gegangen ist; die Leute, die bloß so lustwandeln im Wald, die sehen nur die schönen Bäume und die Blumen, Beeren und Pilzlinge und haben ihre Freude dran. Aber er ist auch ein strenger Herr, gar wenn man ihm an den Bart will. Es ist so manche Fichte tückisch gefallen, dem Rechnen und der Erfahrung zum Trotz, und mehr als einen frischen Burschen haben wir unterm Stamm hervorgeholt und es ist ihm nicht mehr zu helfen gewesen. Beim Baumfahren im Winter muß schier alle Jahre einer dran glauben; freilich das ist die Arbeit und ich will nicht davon reden. Was aber die unschuldige Kreatur betrifft, die im Wald ums Leben kommt, da lernt man wunderliche Gedanken fassen übers schwere und bittere Sterben, wie man so ein Tierlein findet und sieht noch, wie hart es hat kämpfen müssen, bis zum letzten Schnaufer.

Und nicht anders ist mir mein Dirndl zu End gegangen, und ich kann sagen, daß ich für alles Glück, das mir der Wald in allen den Jahren gegeben hat und für meine und der Meinigen Notdurft, die ich herausgeschlagen habe mit meiner Hände Fleiß, einen großen Preis habe zahlen müssen, und daß ich dem Wald nichts schuldig bin, wenn ich jetzt meine Axt heimtrage für immer. Und so gewiß ein jeder erfrorene Hirsch und jedes gerissene Reh mich an das Lisei erinnert haben und seinen argen Tod, so gewiß hab ich auch einen herben Trost darin gefunden, daß der Wald so ist und nicht anders, daß er gibt und nimmt wie der Herrgott selber. Wenn ich die hohen Bäume anschaue und ihre Kraft und ihren Frieden, dann kann ich ja gar nicht hadern damit, sie sind's nicht gewesen, und doch ist es der Wald gewesen, und das ist mehr, als daß viele Bäume beieinander stehen.

Die Leute haben mich später trösten wollen, weil ich ja die Älteste noch gehabt habe und drei Kinder noch gekommen sind, lauter Mädeln. Sie sind alle fort vom Wald in die Stadt, sie sind brav und es geht ihnen gut. Ich weiß wohl, daß einem in der großen Stadt ein Kind noch viel elender verderben kann, als wenn der Wald es verschlingt, denn der Berg und die Bäume, die sind auch nicht barmherzig, aber sauber sind sie und ohne Falsch und sie geben die Seele wieder heraus, makellos und lassen einem eine klare Erinnerung. Und so hat mich der Wald auch wieder mehr getröstet als die Menschen.

Am vierundzwanzigsten April ist es gewesen vor dreißig Jahren, lang vor dem Krieg also, da ist die Zenzl, die ältere, mit dem Lisei auf den Berg gegangen. Das Lisei war ein Dirndl von vierthalb Jahren, aber es war fest und groß wie eins von fünf. Ein herziges Ding ist es gewesen, flachsblond und die Augen so blau wie Enzian. Wir haben es auch für ein besonderes Kind gehalten und haben es mehr verzogen, als vielleicht recht war.

Damals hat von meiner Frau eine Schwester am Berg gewohnt, beim Ramsen heißt es; ein kleiner, mühseliger Hof ist es, aber wunderbar gelegen auf den höchsten Wiesen, die dann gegen den Ramsengraben hinunterfallen, das ist die Schlucht, die von den Rehmösern bis an die Schwarzachen hinaus zieht.

Meine Frau ist damals nicht gut beisammen gewesen, und da hat ihr die Schwester angetragen, sie nimmt die Kinder für eine Woche. Es ist, als ob meine Frau eine Ahnung gehabt hätte, denn sie hat eine Ausflucht um die andere gebraucht und das Lisei hat sie schon gar nicht hergeben wollen. Aber wir haben die Schwester und den Schwager auch nicht beleidigen können und da haben wir ihm halt die Kinder geschickt, ein Samstag ist es gewesen, ein so schöner und warmer Tag, wie sie selten sind um diese frühe Zeit.

Grade, weil es ein Samstag war, haben wir um elf Uhr Feierabend gemacht, wir haben damals eine schöne Holzstube gehabt unterhalb vom »kalten Schlag«, in dem wir die größten Tannen umgelegt haben, die jemals auf dem Berge gestanden sind. Wir haben unser Werkzeug aufgeräumt und sind talaus gegangen. Für eine Stunde oder zwei ist der ganze Wald lebendig gewesen von Leuten, die alle heimgestrebt haben, vom Hochrücken herunter und aus dem Tanzgraben und über die Sulzberg-Schneid herüber. Die einen sind da hinaus und die anderen dort und es ist ein lautes Jodeln gewesen und Grüßen und wieder Abschiednehmen. Aber nach der Zeit ist der Berg stiller und verlassener gewesen als jemals sonst.

Ich bin ein frischer Mensch damals gewesen, ein guter Dreißiger, und wenn die Arbeit auch hart war, es waren schöne Zeiten und der Wald hat mich ernährt, daß ich das Gütl hab erhalten und ausbauen können, und ich war gar nicht gram, daß es zu einem richtigen Bauernhof nicht gelangt hat. An dem Samstagmittag bin ich so kreuzfidel gewesen, der Wald hat gerauscht, keine Wolke ist am Himmel gestanden, und bei den zwei Tännlingen am Engelstein haben wir übers Land schauen können bis an den Chiemsee und weiter. Und da hat mich der Übermut gepackt wie einen ganz Jungen und ich hab den Hut in die Höh geworfen und grad hinausgejuchzt vor Freud über mich selber und die schöne Welt.

Das ist in der nämlichen Stunde gewesen, in der sie das Lisei zu suchen angefangen haben.

Zuerst hätte ich selber noch die Schwäger beim Ramsen aufsuchen wollen, aber ich bin dann lieber gleich heim und habe den Ramsengraben links liegen gelassen; denn zur Holzarbeit taugt das schlechteste Gewand und im Wald fragt einer nichts danach, wie wild ihm der Bart steht. Aber die Verwandten aufsuchen braucht eine feinere Kluft, hab ich gedacht und wollte am Sonntag mit der Frau herauf. Wär ich so eitel nicht gewesen, es hätte sich noch alles zum Guten wenden können, denn das Lisei hätte mir in die Hände laufen müssen. Aber ein jeder geht den Weg, den er vom Herrgott geschickt wird.

Die Zenzl ist mit dem Lisei bei der Tante grad in die Suppenschüssel hineingefallen, wie man hierorts sagt; sie sind schon erhofft gewesen und sie haben gleich zum Essen anfangen wollen. Aber das Lisei hat Heimweh gehabt und hat nichts angerührt. Die Tante ist eine seelengute Frau, aber das Auszahnen hat sie halt nicht lassen können. Das Lisei hat, so groß es schon war, noch gern aus der Flasche getrunken; und wenn sich ein Erwachsner drüber lustig gemacht hat, ist das Dirndl ganz närrisch geworden oder, wenn es gar zu arg war, ganz still. Und wie jetzt die Tante recht spöttisch gefragt hat, ob man für das Wickelkind die Ludel herrichten soll, ist das Lisei von der Bank heruntergerutscht und aus dem Zimmer gelaufen. Die Frau hat es gleich holen wollen, aber der Mann hat gesagt, man dürfte den Kindern nicht jeden Trotz hinausgehen lassen, und wenn das Lisei ausgebockt hätte, dann käme es schon von selber wieder. Sie haben halt das Lisei nicht gekannt. Die Zenzl hat sich überhaupt nichts sagen trauen, und so haben sie zuerst einmal ihre Suppe gegessen und sind guter Dinge gewesen.

Dann hat die Frau das Geschirr weggeräumt und hat dabei nach dem Lisei geschaut. Aber es ist nirgends gewesen, im Haus nicht und nicht im Stall und im Schupfen. Anfangs hat die Frau allein gesucht, dann sind alle herumgelaufen, im Heuboden, im Backhäusl, überall um das Haus haben sie gestöbert, aber das Kind war nicht zu sehen und hat auf kein Rufen und Bitten Antwort gegeben.

Jetzt haben sie es mit der Angst zu tun gekriegt und die Zenzl hat sich erboten, den Weg zurückzulaufen, den die Kinder gekommen waren. Es ist ja auch am nächsten gelegen, daß das Lisei hat heim wollen. Aber die Strümpfe und Schuhe sind noch dagelegen, weil die Kinder das letzte Stück über die Wiesen barfuß gegangen sind; das hat die Leute wieder getröstet, weil sie gemeint haben, bloßfüßig kommt ein so kleines Kind im Wald nicht weit; denn dort ist der Boden noch rauh und kalt vom Winter gewesen.

Die Tante und die Zenzl sind also bergab den Weg gelaufen und haben laut nach dem Lisei gerufen. Aber es hat sich nichts gerührt. Der Mann und die Magd haben derweilen noch um das Haus herum gepürscht und gegen den Wiesengrund zu, der an den Wald grenzt, der dann in die Schlucht hinunter abfällt. Es ist aber dort ein Streifen Schnee am Waldrand gelegen, einen Hirschensprung breit, und der Schwager ist ihn genau abgegangen. Jedes Trittlein hätte er sehen müssen. Aber der ganze Ranft ist unverletzt gewesen. Der Schwager hat damals gemeint, jetzt könnte es so weit nicht mehr gefehlt sein, weil ja der untere Ramsgraben das einzige gefährliche Stück auf der Abendseite des Höllkopfes ist. Er hat deshalb die Magd auf das Sträßlein geschickt, das durch die Schlucht über die Brücke nach Zwickling hinausführt; dort, in dem Weiler hätten die Leute ja ein Kind nicht übersehen können, wenn es wirklich den Weg gegangen wäre. Aber die Magd ist unverrichteter Dinge wieder heimgekommen.

Ich hab mir grad die Stoppeln aus dem Gesicht geschabt und bin, mit dem Messer in der Hand, vor dem Spiegel gestanden, da höre ich einen Schrei, der anders geklungen hat als das, was das Weibervolk bei jeder Kleinigkeit von sich gibt. Ich renne, wie ich bin, in die Stube hinüber, da steht die Schwägerin da wie eine Wachskerze und meine Frau liegt halb über dem Tisch und wimmert in sich hinein. Wie ich dann erfahren habe, daß das Lisei verlorengegangen ist, bin ich schon auch erschrocken, aber nach dem Schrei war ich auf was Ärgeres gefaßt gewesen. Ich hab die zwei Frauen grob angelassen, das Flennen wäre das dümmste, und die Schwägerin habe ich gefragt, seit wann das Lisei abgeht. Seit halb zwölf Uhr, sagt sie, und ich schaue auf die Uhr, da ist es schon gleich fünf Uhr.

Ich habe mir den Seifenschaum aus dem Gesicht gewischt und die nächstbeste Joppe angezogen. Dann bin ich mit dem Rad davongefahren, wie ein Narr habe ich hineingetreten, die steilsten Berge hinauf, ich habe an nichts gedacht, als daß ich gut hinkomme und daß ich den Wachtmeister treffe in Weidach mit seinem Spürhund. Ich habe ihn auch getroffen, aber zuerst hat er nicht mit wollen, er kennt das schon, wie man hinausgesprengt wird auf den Berg und derweil sitzt das Kind bei irgendeiner Bäuerin, die es mit Nudeln füttert. Wollte Gott, es wäre so, habe ich gesagt, aber ich spüre es, daß ein Unglück im Weg ist. Und da hat er sich dann auf das Rad gesetzt und der Hund ist neben uns hergelaufen.

Wir sind bis Zwickling gefahren und durch die Schlucht

zum Hof hinaufgestiegen. Der Wachtmeister hat mir unterwegs gut zugeredet, der Hund hätte schon ganz andere Leut gefunden, die wunders wie schlau gewesen wären mit Pfefferstreuen und Wasserwaten. Da wäre es gelacht, wenn er ein kleines Kind nicht auftreiben könnte, das seit ein paar Stunden verloren wäre. Ich habe den Hund gestreichelt und eine große Liebe zu ihm gefaßt, weil bei dem Tier die Hoffnung gestanden ist, daß wir das Lisei wiederfinden.

Wie wir den Hof droben gesehen haben, durch die kahlen Buchen hindurch, ruft der Wachtmeister, fast ärgerlich: »Da steht's ja, Ihr Lisei!« und deutet auf ein Kind, das bunt aus der Dämmerung herscheint und dann ins Haus verschwindet. Weil der Mensch gern glaubt, was er sich wünscht, habe ich voreilig die Last abgeworfen von meinem Herzen. Aber ich habe sie um so mühseliger wieder aufnehmen müssen, denn wie wir droben waren, habe ich gesehen, daß es die Zenzl war, die heraufgestiegen war mit der Mutter und der Schwägerin und mit ein paar Nachbarsleuten, die suchen helfen wollten.

Wir haben dem Wachtmeister ein paar Sachen geben müssen, die das Lisei auf dem Leib getragen hat, und er hat den Hund daran schnuppern lassen. Dann hat er ihn hinausgeführt, damit er die Spur sucht.

Es ist schon arg zwielichtig gewesen, es hat schon geschwirrt vor dem Wald, wenn nicht ein so schöner Tag auf den Abendhang geleuchtet hätte, wäre es um die Zeit schon völlig finster geworden.

Die Leute und auch der Wachtmeister sind wie selbstverständlich talab gegangen; aber gleich unter dem Hof, wo die Wege zusammengehen, hat der Hund nach rechts gezerrt, gegen den Berg zu. Die Leute haben sich gesträubt, dem Tier zu folgen, sie sind talaus weiter und später heimgegangen.

Der Wachtmeister, der Schwager und ich, wir haben uns von dem Hund den Berg hinaufführen lassen. Solang noch ein Steig war, ist unser Verstand noch mitgegangen, wenn auch wider Willen, bloß weil wir dem Hund vertraut haben. Wie der aber in den Wald hinein ist, mitten ins Gestrüpp, in eine Fichtenjugend und wieder heraus, da hat sogar der Wachtmeister den Kopf geschüttelt und ich habe angstvoll gesehen, daß er seiner Sache nicht mehr gewiß gewesen ist.

Derweilen ist es völlig Nacht geworden, der Mond stand nicht zu erwarten und der Hund hat an einem Wasser, das da geflossen ist, die Witterung verloren. Ich habe gemeint, ich müßte es erzwingen, und bin den Wald hinaufgerennt und habe geschrien. Aber der Wachtmeister hat mich zurückgeholt, weil es keinen Sinn gehabt hat, und weil es nur für den andern Tag das Suchen schwerer gemacht hätte. Er hat mir aber in die Hand versprochen, daß er vor der Sonne wieder heroben ist mit dem Hund.

Wir haben dann noch alle mit hinuntergehen lassen, die wir über Nacht nicht haben brauchen können, zwei Nachbarn sind noch heroben geblieben. Ich hätte am liebsten die Schwägerin von ihrem eignen Hof weggeschickt, weil es nicht zum Aushalten gewesen ist mit ihrem Jammern, sie hätte das Lisei auf dem Gewissen, weil sie so gespöttelt hat und das Dirndl dann hat fortlaufen lassen. Sie ist auch später hintersinnig geworden und die Leute haben den Hof aufgegeben und sind ins flache Land hinausgezogen.

Ich bin also in der Stuben bei der greinenden Frau und dem kargen Mann gewesen und die Magd hat mir eine Suppe hingestellt; ich habe es ja eingesehen, daß ich was essen muß, damit ich bei Kräften bin, wenn es wieder ans Suchen geht. Aber bei jedem Löffel habe ich denken müssen, wie gut der dem Lisei täte und wie ein einziger vielleicht dem Kind das Leben retten möchte.

Schlafen habe ich nicht können. Ich habe mich vors Haus auf die Bank gesetzt und habe gespürt, daß die Nacht warm gewesen ist, gemessen an der frühen Jahreszeit. Und das hat mir wieder Mut gemacht, obwohl es kein gutes Wetterzeichen ist; bis es umschlägt, hab ich gehofft, ist das Kind gefunden.

Die Sterne sind wunderbar am Himmel gestanden, es ist so still und friedlich gewesen und ich habe mich nur immer wundern müssen, daß dieses große Unglück wahr ist und daß in dem Wald, der bis ans Haus her gerauscht hat mit seinen alten Tannen und Fichten, mein Lisei elend verzaubert ist. Und ich hab gemeint, ich sehe es mit Augen in der Finsternis, ich habe gehorcht, weil ich was habe jammern hören; aber es ist nur der Totenvogel gewesen, der in den Wipfeln streicht, ein Kauz, wie der, den ich hier heimtrage von meinem letzten Gang aus dem Wald.

Später ist ein schmaler Mond heraufgekommen, und wenn es auch kaum ein mattes Licht war, ich habe gemeint, ich müßte jetzt aufspringen und ins Holz hinaufrennen, nur weil ich es nicht so untätig habe erwarten können, bis die lange Nacht um ist.

Aber es ist ja hoffnungslos gewesen, seit wir gesehen haben, daß das Kind aufs Geratewohl hinein ist in den Wald. Wenn die zwei oder drei Wege, die einem geläufig sind, vergebens ausgegangen werden, dann können es hundert und tausend werden, die man gehen muß. Das weiß jeder, der irgendein Ding sucht, das aus der Ordnung gewichen ist; zuerst hat er guten Mut, aber dann sieht er, daß er mit Blindheit geschlagen ist, und er fängt zu spinnen an, und es ist nichts so dumm, daß er sich keinen Gedanken darüber macht. Ich bin in der Nacht wieder und wieder in den Stall gegangen und habe den Schuppen ausgeleuchtet und den Backofen, wo wir doch schon am hellen Tag nichts haben entdecken können.

Endlich ist es gegen Morgen gegangen und die Vögel haben so sauber gesungen, daß mir das Herz weh getan hat, daß ein so schöner Sonntag dazu gemacht sein soll, so bitter zu leiden. Es ist aber zum Glück der Wachtmeister gekommen mit dem Hund und wir sind gleich an die Stelle hinauf, wo wir den Abend zuvor das Suchen abgebrochen haben. Wenn man nur wieder etwas tun kann, ist es schon leichter und der Morgen hat sich recht gut angelassen. Der Hund ist diesmal ohne Verzug über das Wasser weg und hat mit Eifer die Spur verfolgt. Zum erstenmal haben wir ein klares Zeichen bekommen, in der schwarzen Erde war ganz deutlich der Tritt von einem nackten Kinderfuß abgedrückt. Der Hund ist in die Schönwiese hineingelaufen, das ist ein kleiner Grasboden mitten im Wald, das herrlichste Flecklein vom ganzen Berg, mit drei Wildkirschbäumen am Rand, bei den großen Tannen. Da haben wir ein paar abgebrockte Schlüsselblumen liegen sehen, und es ist uns ein Trost gewesen, daß das Kind noch so starkherzig war, daß es sich an den Blumen gefreut hat.

Wir haben jetzt jeden Augenblick gemeint, wir müßten das Dirndl wo aufspüren, denn wie sollte ein so kleines Geschöpf viel weiter kommen. Und haben zu rufen angefangen und zu treiben. Der Wachtmeister ist ganz aufgeräumt gewesen und hat schon Späße gemacht, jetzt würden wir das Osterhasennest gleich haben.

Aber der Hund ist quer über den Grasplatz hinüber und wieder in den Wald hinauf. Es ist uns hart angekommen, ihm nachzugehen, von unserer schönen Hoffnung weg wieder ins Ungewisse. Wir haben dann freilich immer, wenn wir verzagt werden wollten, einen Fingerzeig erhalten, ein abgerissenes Fetzlein oder eine Fußspur oder ein Blümlein. Es ist mir wirklich gewesen, als ob das ein Himmelsschlüssel gewesen wäre, aber es ist's in einem andern Sinn gewesen, als wir geglaubt haben.

Inzwischen hat nämlich das Wetter bös zu schauern angefangen und der Wachtmeister ist besorgt geworden, es möchte am Ende schneien und der Hund könnte dann die Spur verlieren. Er hat gesagt und ich habe ihm recht geben müssen, daß jetzt viele Leute hergehören, denn in der Nähe herum müßte das Kind ja sein. Wenn es zum Schneien kommt, muß das Dirndl schnell gefunden werden, sonst ist es erfroren. Ich habe mich also mit schwerem Herzen entschließen müssen, in das Dorf hinunterzulaufen und ein Aufgebot zusammenzubitten. Es ist eine starke Stunde, wenn einer scharf geht, aber damals bin ich's in einer leichten halben gereist. Die Kirche ist grad ausgewesen und es hat sich schon überall herumgesprochen gehabt und die Bauern sind im Wirtshaus gesessen; wie ich in die Stube bin, hab ich bloß sagen können: »Helft!« Was die jüngeren waren, die sind gleich auf, im Sonntagsgewand, wie sie waren, und ich hab ihnen bedeutet, wo sie hin müssen. Da spürt man, was eine Gemeinde ist, denn wenn ich auch ein geringer Häusler war, es ist kein Bauer so groß gewesen, daß er nicht mitgegangen wär oder irgendeinen Dienst getan hätte. Sogar der Schneiderbauer, mit dem wir vom Großvater her noch im Streit gewesen sind, hat mir die Hand gegeben und mich getröstet, daß sie das Dirndl vom Berg holen, und wenn es noch so grob Wetter würde.

Ich hab mich noch ein wenig verschnauft, dann sind wir wieder auf den Berg gegangen. Es sind noch viele Leute nachgekommen, die Feuerwehr ist alarmiert worden und der Lehrer hat die großen Kinder heraufgeführt. Essen und Trinken und warme Decken haben sie heraufgetragen. Der Pfarrer hat es schon von der Kanzel herunter verkündet gehabt, daß unser Kind verloren ist und daß alle um die Errettung aus Bergnot beten sollten.

So schnell die andern auch gegangen sind, ich bin bald wieder an der Spitze gewesen. Jetzt ist der Himmel rabenschwarz geworden und der Wind ist aufgegangen, daß der ganze Wald ein Rauschen gewesen ist. Es hat geblitzt und gedonnert und dann ist der Schnee hergefahren und ich habe gebetet und geflucht in einem. Ganz wirr bin ich gewesen von lauter Herzensnot.

Der Schnee ist bloß ein Wischer gewesen, das Unwetter hat nicht länger gedauert, als wie ich hundert Schritt bergauf gestiegen bin. Aber so viel hat es doch hergeschüttet, daß der ganze Berg weiß gewesen ist und es alle Spuren zugedeckt hat. Die Sonne ist zwar gleich wieder dagewesen, die freien Flächen sind schnell abgeschmolzen, aber im Wald hat sich der Schnee gehalten.

Ich bin den Berg hinauf, daß mir das Herz hat zerspringen wollen. Wie ich bei dem Wachtmeister war und seinen Leuten, sind sie grad wieder unschlüssig gewesen, wie sie weiter sollen. Der Hund hat steil auf in den alten Schnee wollen, der dagelegen ist, aber er ist auch nicht so kräftig vor wie sonst, es hat hergeschienen, als ob er selber irre geworden wäre. Die Leute aber haben gesagt, daß ein Kind nicht mit bloßen Füßen in den Schnee steigt, sondern höchstens am Rand entlang geht.

Derweil ist der Wald laut geworden von Leuten und Lärmen und wir haben die Mannschaften gesammelt und wieder geteilt, daß eine Ordnung war. Die einen sind mit dem Hund in den Schnee hinauf, die andern am Ranft entlang. Ich habe mir später oft Vorwürfe gemacht, ob nicht die vielen Füße den Einstieg des Kindes in den Firn zertrampelt haben; aber der bitterste Feind ist halt der Neuschnee gewesen, der überall gleichmäßig gelegen ist.

Wir haben gesucht, da und dort, die Gruppen sind zueinander gestoßen und wieder auseinandergegangen. Manche haben es nicht glauben wollen, daß man sich auf den Hund verlassen hat, und sind wieder hinunter bis zur letzten erwiesenen Spur und haben von da an in die Breite geforscht. Ich aber bin dreimal bis auf den Gipfel hinauf, wo eine steile Schneise in den Hochwald geschlagen ist, wie ein Sensenhieb. Ganz droben aber ist ein freier Platz, wo im Sommer schönes, hohes Gras herwächst, und auf der Kuppe steht ein Kreuz mit ein paar Betbänken. Unterhalb zieht ein Weg vorbei, der auf die Morgenseite des Berges hinüberwechselt und nach Hammer hinausläuft.

Da droben ist der Platz von Schirmfichten umstanden, die weit ausladen und unter denen sogar im Winter kaum Schnee liegt. Dafür wächst das Gras bis unter die Bäume, und drum sucht das Wild gern den Unterschlupf auf, wo auch die Äsung nie ganz ausgeht. Ich habe immer wieder denken müssen, wenn doch das Lisei ein solches Nest hätte finden können, dann käm es vielleicht mit dem Leben davon. Ich bin unter allen Ästen durchgeschloffen und habe mehr als ein Reh aufgeschreckt, aber das Dirndl ist nirgends zum Vorschein gekommen. Ich habe ein Gefühl gehabt, es müßte da herum wohl sein. Zweimal hat mich der Verstand wieder hinuntergetrieben, weil es doch schier verblendet war, da heroben zu suchen, und zum drittenmal hat mich die Ahnung aufs neue heraufgelockt.

Es ist längst wieder schönes Wetter gewesen; die Stunden sind vergangen und es ist schon wieder gegen Abend geworden. Niemand hat eine neue Spur vom Lisei gehabt, wir heroben nicht und die drunten nicht. Ich bin jetzt satt gewesen von Kummer und Aufregung, die letzte Hoffnung hab ich aufgezehrt gehabt. Ich bin auf einen Augenblick auf dem Gipfel gestanden, unter dem Kreuz, und habe ins Land hinausgestarrt und dann auf den großen, stillen Wald und habe voller Trotz vor mich hingesagt: Dann nimm es, das Kindl, wenn Du es mir nicht lassen willst! Und ich weiß nicht, ob ich den Herrgott gemeint habe oder den Wald; es ist aber wohl das gleiche. Und ich bin über mein eigenes Lästerwort erschrocken und hab mich hingekniet und gebetet, daß ich es doch noch kriege, das Lisei.

Derweilen sind zwei Leute des Wegs gekommen, es ist ein Vetter und eine Base gewesen von Hammer, überm Berg drüben. Sie haben von unserm Unglück gehört gehabt und sind herüber zum Suchenhelfen. Jetzt sind sie auf dem Heimweg gewesen und haben den oberen Pfad eingeschlagen, damit sie mir vielleicht noch begegnen und ein gutes Wort sagen können. Ich bin an die hundert Schritt neben der Base den Weg mitgegangen und sie hat gemeint, da heroben suchen wär doch ganz ohne Sinn, denn das Lisei hätte doch heimwollen zur Mutter. Ich habe gesagt, es kann sein, daß es grad deswegen bergauf ist, weil ein so kleines Kind nicht weiß, daß es die entgegengesetzte Richtung einschlagen muß, wenn es zurück will. Ich habe dem Vetter und der Base die Hand gegeben und bin wieder auf die Abendseite herüber. Ich bin noch keine zehn Schritte gegangen, da schreit die Base: »Lisei!« und ich stürze hin. Da kniet die Frau, über das Kind hingeworfen, und hebt es auf. Und das Lisei hat noch gelebt und hat die Augen aufgemacht und hat noch »Mutter« gesagt und ein bißchen gelacht. Es hat die fremde Base für seine Mutter gehalten.

Bis ich aber das Kind ganz mit aufgehoben habe, hat es noch ein paar Schnapper getan und ist tot gewesen.

Daß ich mit eigenen Augen noch dieses winzige Lachen gesehen habe, das ist mir ein großer Trost gewesen alle die Jahre her.

Ich bin die Schneise hinunter, gekugelt, gerutscht und gestolpert, aber das Kind habe ich warm und fest in Armen gehalten. Es ist mir nicht aus dem Sinn gegangen, daß es so unter einer Fichte gelegen ist, wie ich es gedacht habe, vielleicht drei Bäume weiter, als ich vor vier Stunden zum erstenmal geschaut habe. Die Base und der Vetter sind langsam nachgestiegen und haben in den Wald hinunter geschrien, daß das Lisei gefunden ist. Da ist ein großes Rufen über den ganzen Berg hin gegangen. Die Leute sind alle zum Ramsenhof hinunter, und da hat man erst gesehen, daß es zweihundert und mehr waren, die gesucht haben. Aber was der Wald verbergen will, das finden tausend Augen nicht.

Beim Ramsen haben wir das tote Kind gewaschen und aufgebahrt. Es ist ganz leicht gewesen und ausgezehrt, aber der Tod hat es gestreckt und es war größer als vorher im Leben.

Ich habe mit die Wache halten wollen in der Nacht, aber es ist gewesen, wie wenn ich plötzlich inwendig zusammengefallen wäre. Ich habe mich nicht mehr wehren können gegen den Schlaf.

Am Montag früh haben wir die kleine Leiche ins Dorf geschafft. Es ist wieder ein blanker Tag gewesen, die Wiesen haben geblüht und die Kinder und Frauen sind von überall her mit ihren Sträußen gekommen. Der Wald aber ist so friedlich dagestanden und so unschuldig wie jetzt und immer.

Wenn einem ein Mensch ein Kind umgebracht hat oder verdorben, dann kann man ihn hassen und kann auf Rache sinnen; wenn eine Natter es gebissen hat, kann man jeden Wurm zertreten, nur weil er einer Schlange gleich sieht. Aber was soll einer gegen den Wald tun, der dasteht wie die Allmacht Gottes und der unser aller Leben ist? – –

Ich habe die Geschichte von meinem Lisei noch nie so erzählt und werde sie auch kein zweitesmal mehr erzählen. Es ist vielleicht nur, weil ich heute zum letztenmal im Wald bin. Der Wald hat mir wohl und weh getan und ich dem Wald; wir sind quitt miteinander. Auf den Berg gehe ich nicht mehr, und wenn ich hundert Jahre alt werden sollte.

Das treue Weib

Die alte Zaglerin ist jetzt auch gestorben. Der Zagler selber ist ja schon lang tot, Gott hab ihn selig. Den großen Hof droben hat seitdem der Sohn übernommen, ist ein braver und fleißiger Mensch und neidet ihm niemand, daß er der reichste Bauer weitum ist. Die Tochter ist in Passau verheiratet, ihr Mann ist bei der Bahn und es geht ihnen gut. Und das haben sie alles der Mutter zu danken, der Zaglerin. Aber daß der Hof und die Familie einmal schon so gut wie verspielt waren, das wissen nur mehr die alten Leut und die haben es für sich behalten, weil es die Jungen nicht zu wissen brauchen.

Der Zagler war ein wilder Mensch, schon als Bub und wie er in die Jahr kommen ist, wo die jungen Burschen auf die Weiberleut scharf werden, ist er der allerschärfste gewesen. Und hat sich eigentlich ein jeder gewundert, wie er schließlich an die stille Frau geraten ist, die so gar nichts gleichgeschaut hat. Sie war beinah eine Städtische, vom Hausermüller in Deggendorf ist sie die älteste Tochter gewesen.

Aber sie hat es halt doch in sich gehabt und der Zagler hat gut gehaust mit ihr und ist über vieles weggekommen, nur weil sie ihm den Weg hat zeigen können. Mit den Weibern ist ja nicht alles sauber geblieben und die Leute, die immer bei der Hand sind, wenn man die nackte Bosheit in Ehrbarkeit und Mitgefühl einwickeln kann, sind oft und oft zur Zaglerin geschlichen und haben es ihr recht wehleidig gesteckt, was für ein armes Weib sie wäre und wie es der Bauer mit dem und dem Mensch wieder hätte und wie das eine Schand sei.

Sie hat aber nur gesagt: »Weiß schon« und hat in aller Freundlichkeit das Gered auseinandergetan wie einen Feuerbrand. Und ihrem Mann hat sie die Stalldirn oder das Kuchelmensch, dem er grad nach ist, mit ein paar Worten, gar keinen scharfen Worten, so vergällt und vergiftet, daß er davon lassen und daß er sich geschämt hat und hat nicht gewußt, warum. Die Frau selber, so schwach sie war, hat dem Bauern seine stolze Kraft eingespannt, wie einem Stier und hat ihn dorthin geführt, wo sie ihn hat haben müssen.

Zuletzt ist er bereits ein gestandener Mann gewesen, gegen vierzig vielleicht und es war schon der zwölfjährige Toni und die siebenjährige Anna da; und die Frau hat sich zu einem dritten Kind hingelegt. Da hat der Teufel den Zagler in die Gewalt bekommen, aber diesmal richtig. Eine Kleinmagd war auf dem Hof, die hat sich den Bauern in den Kopf gesetzt mit aller List und Gewalt. Sie ist um den Mann herumgestrichen wie eine Katze, die Baldrian geschmeckt hat. Sie hat es bald so und bald so einzurichten gewußt, daß er sie unversehens überrascht hat im bloßen Hemd und ist prall und drall an ihn hingerumpelt, bis er den ersten Spaß mit ihrem Fleisch gemacht hat. Wie das Luder so weit war, daß sie gemeint hat, der Zagler kommt ihr nimmer aus, hat sie's herumgeschrieen überall, bald frech und bald weinerlich, wie sie's gebraucht hat. Der Zagler aber, so närrisch er in der Hosen war, so klar ist er im Kopf gewesen. Er hat dem Frauenzimmer den Lohn ausbezahlt und hat sie vor die Tür gesetzt.

Aber diesmal ist er an die Falsche gekommen. Ein Monat oder zwei war alles gut, dann ist die Magd in aller Heimlichkeit wieder da gewesen: Sie trüg' ein Kind von ihm. Der Bauer sagt, gut, das wird sich herausstellen und wenn sie kein Geschrei drum macht, wird er zahlen, was recht und billig ist.

Das Weibsstück lacht ihm ins Gesicht, ihr wär um das Geschrei mehr zu tun als um das lumpige Geld.

Und diesmal kann die Zaglerin nicht helfen, weil sie es nicht weiß. Grad diesmal, wo jeder was läuten gehört hat, der zwei Meilen im Umkreis vom Zaglerhof Ohren hat, gerade diesmal weiß sie nichts und der Zagler hat keinen Mut, daß er ihr es sagt; nur Angst hat er, ein Schlangennest voll Angst, sie könnte was erfahren. Und er redet, im Wald draußen, wo sie ihn hinbestellt hat, einen ganzen Sonntagnachmittag auf das Frauenzimmer ein, aber wie die merkt, daß er immer hilfloser wird und daß er ganz allein ist in ihm selber und ohne Rat und Ausweg, wird sie immer frecher und zum Schluß verlangt sie nicht mehr und nicht weniger, als daß der Zagler seine Frau los wird, ganz gleich wie, und daß er sie zur Bäuerin macht.

Und wie das alles nichts hilft, versucht sie es noch einmal und schmeißt sich an ihn, damit er vielleicht doch den Verstand verlieren soll.

Und der Zagler verliert ihn auch, aber anders, und grausiger, wie sie es sich gedacht hat. Er packt sie an der Gurgel, drückt zu und läßt nicht aus, bis sie den letzten Schnaufer getan hat.

Der Bauer gibt sich gar keine große Mühe, die Spuren zu verwischen, er läßt die Leiche liegen und geht auf den Hof zurück, redet kein Wort, tut seine Arbeit und wartet.

Drei Tage später holen ihn die Schandarmen vom Pflug weg.

Wie sie ihn abführen, sagt er zu seiner Frau, die weiß wie der Tod und ganz mühsam aus der Tür tritt, kein Wort mehr als das: »Ich hab eine umgebracht, mir ist nimmer zum helfen. Mach du es gut und schau auf die Kinder!« Und hebt die Hand auf und will sie wieder wegtun, aber sie nimmt sie mit beiden Händen und sagt kein Wort, schaut ihn nur an, fragt nichts, schreit nicht, geht in das Haus zurück, wo die Kinder in der Stube sitzen und paßt auf, daß sie nicht hinauslaufen und sehen, wie ihr Vater gefesselt zwischen zwei Landjägern davongeht und wie die Leute zusammenlaufen, damit sie den Mörder anstarren können und die üble Neuigkeit auffangen und forttragen.

In Landshut ist dann die Verhandlung gewesen vor dem Schwurgericht und sie haben es dahin gedreht, daß er es in der blinden Wut getan hat und ohne Vorsatz und so ist es wohl auch gewesen und er hat wegen Totschlag die Mindeststrafe gekriegt, fünf Jahre Zuchthaus. Und ist nach Straubing gekommen zum Absitzen.

Die Frau hat ihm einen Brief geschrieben, er sollte seine Strafe abbüßen, wie es recht und gerecht ist, aber fünf Jahre wären keine Ewigkeit und sie wollte auf ihn warten, wie wenn es nur fünf Tage wären. Und dann wäre alles gut und wäre gar noch besser, als zuerst, denn er wüßte jetzt, wie sie zu ihm steht und über zwei Menschen, die einander vertrauen, hätte der Teufel keine Gewalt mehr.

Sie hat in dem Brief auch, wie sie es immer gehalten hatte, den Schein gewahrt, als ob er nach wie vor der Herr des Hofes und der alleinige Leiter der Geschäfte wäre und hat ihn gefragt, ob es ihm recht ist, wenn sie den Acker vom oberen Wirt kauft und dafür die Wiese hinter dem Wald hergibt und ob er es auch für gut hält, wenn sie die Kartoffeln nicht mehr dem Händler vom vorigen Jahr gibt, weil er so wenig bezahlt hat.

So hat sie den Zagler mit großen und kleinen Stricken an das Leben gebunden und an seinen Hof und an die Zukunft.

Den Großknecht, der sein Maul hat spazieren gehen lassen, es wär eine üble Wirtschaft auf einem Hof, wo der Bauer ein Zuchthäusler ist, hat sie gehen heißen, mitten von der Arbeit weg und hat das Gesinde im Zaum gehalten. Dem Pfarrer, der gleich in der ersten Predigt so recht scheinheilig und salbungsvoll daran hingeredet hat, wie die Hand Gottes schwer auf der Gemeinde liege, und was die Herren sonst für anzügliche Sprüche machen, dem hat sie die Schneid sofort abgekauft, und er hat seitdem keinen Muckser mehr getan.

Die Kinder hat sie in der Ehrfurcht vor ihrem Vater aufgezogen und der alte Hauptlehrer Spöttel, Gott hab ihn selig, ein grader und grober Mann, der hat ihr eisern dazu geholfen. Wo er was gehört hat, daß die Zaglerskinder gestichelt worden sind, ist er dazwischengefahren wie ein Erzengel.

Und allmählich sind aus den vielen schadenfrohen Nachfragern etliche ehrliche geworden und die andern sind ausgeblieben. Überall am Stammtisch und nach dem Kirchgang hat man allmählich mehr von der Zaglerin geredet und wie brav sie sich hält, als wie vom Zagler und von dem, was er getan hat.

Wie es ihr dann erlaubt worden ist, hat sie ihren Mann besucht, jeden Monat einmal ist sie wegen der zehn Minuten, die sie mit ihm hat reden dürfen, mit dem Gäuwägerl den langen Weg gefahren, beim gröbsten Wetter und im Winter durch den dicksten Schnee.

Weil sich der Zagler so gut geführt hat, haben sie ihm zwei Jahr geschenkt. Ganz jäh ist die Nachricht gekommen, im Frühjahr ist es gewesen und der Postbote hat die Frau erst auf dem Feld suchen müssen.

Sie hat noch in derselben Stund einspannen lassen, es war an einem Samstag, am Samstag zu Palmarum ist es gewesen und ist nach Straubing gefahren.

Und am Sonntag hat sie ihren Mann zurückgebracht. Es sind an dem Tag die Kinder und jungen Leut mit den größten Blumenbuschen unterwegs gewesen und wie der Wagen gekommen ist und es hat geheißen, daß der Zagler drin ist und seine Frau, da ist manch einer auf der Straßen stehn blieben und hat gewunken und seinen Strauß in die Kalesche geworfen, daß die ganz bunt gewesen ist voll Blumen.

Der Zagler hätt sich allein vielleicht nicht heimgetraut oder er wär bei der Nacht übern Waldsteig her in den Hof geschlupft und hätt sich nicht sehen lassen. Aber die Zaglerin hat nicht ausgelassen und hat gesagt, mit der Heimlichkeit fangen wir gar nicht erst an. Was gewesen ist, das ist ausgemacht mit unserm Herrgott und mit seinem irdischen Gericht und wem es sonst nicht paßt, auf den sind wir nicht angewiesen.

Es hat ihnen aber allen gepaßt und wie erst der Bürgermeister dem Zagler die Hand gegeben hat und es wär schön, daß er wieder da ist, da sind die andern auch her, so ganz beiläufig und als ob weiter nichts gewesen wär.

Nur der Pfarrer hat einen heiligen Eifer gehabt, wegen dem Palmsonntag und weil die Kinder Blumen in den Wagen geworfen haben und er hat das Ganze auf einen freventlichen Vergleich mit dem Einzug unseres Herrn hingespielt. Aber sie haben ihn bloß ausgelacht und haben gesagt, wenn einer halt am Samstag frei wird, kommt er am Sonntag heim.

Vierzig Jahr gut ist das her. Und jetzt ist die alte Zaglerin auch gestorben.

Der Mitschuldige

Der Bericht des Nachbarn

Weil ihr's ja doch schon wißt, daß sich der Nachbar, der Korbinian, was angetan hat, will ich's euch erzählen, wie alles hergegangen ist; für die andern soll es ruhig dabei bleiben, daß er aus Gram über das Schicksal seines Buben, des Benedikt, gestorben ist. Der ist verschollen in Rußland, in Stalingrad, und das ist ärger als der sichere Tod. Der Penzenstadler Lukas ist als Verwundeter noch herausgekommen, und was der erzählt hat, das hätte einen starken Mann umwerfen können. Aber der Korbinian hat sich überdies eingebildet, daß er mit dran schuldig ist. Und er hat sich seine wunderlichen Gewissensbisse nicht ausreden lassen und ist an ihnen zugrundegegangen.

So schnell muß der Mensch heute leben, daß die neuen Sorgen und Kümmernisse die alten in den Sarg legen; wer gewohnt ist, von früher her, über alles nachzudenken, der kommt gar nicht mehr mit. Der kann sich bloß noch wundern darüber, was für ein kaltherziges Geschlecht wir geworden sind und was wir mit unserem kargen Brot mit hineinfressen an Elend und Schande, ohne daß es uns die Seele aus dem Leibe würgt. Aber wenn man die Leute so anschaut, möchte man meinen, sie sind grad lustig, und es könnten gar nicht Theater und Kinos genug sein zum Hineinlaufen; und daß die Mannsleute keinen Wein kriegen und die Weiber nicht tanzen dürfen, das ist, scheint's mir, ihr einziger Verdruß.

Wir schreiben jetzt den Sommer dreiundvierzig, und so gewiß wir diesmal wissen, wer den Krieg angefangen hat: wer ihn enden soll, das weiß niemand. Und ich wundere mich selber oft, wie ich noch essen und schlafen kann und meiner Arbeit nachgehen. Uns heraußen auf dem Land hilft ja viel, das sichere Haus und der Wald und die Wiesen und das ganze Leben überhaupt, ich sage es oft, wir wissen noch gar nicht, was der Krieg ist, aber vielleicht erfahren wir es bald einmal, bis zur letzten Hütte.

Bevor es mit Rußland angegangen ist, da haben die Soldaten es auch nicht gewußt mit lauter Marschieren und Siegen und mit dem übermütigen guten Leben im Feindesland. Daß sie schneidig gewesen sind und daß man ihnen ihre Erfolge gönnt, versteht sich; aber da kommen wir von selber auf die Geschichte vom Korbinian und vom Benedikt, seinem Sohn.

Der Benedikt hat bei den Gebirgsjägern gedient und ist im neununddreißiger Jahr gleich am ersten Tag eingerückt und nach Polen gefahren worden. Bei Lemberg haben sie große Verluste gehabt, aber in achtzehn Tagen sind sie mit dem ganzen Krieg fertig gewesen und der Benedikt ist in Urlaub heimgekommen, mit einer leichten Verwundung am Arm, kaum vier Wochen, nachdem er fortgegangen war. Ich will nicht sagen, daß er ein Aufschneider gewesen ist oder ein Großmaul, aber die Siege sind den jungen Leuten halt doch in den Kopf gestiegen; und damals haben viele gemeint, der Krieg ist aus und so gut wie gewonnen.

Der Vater, der Korbinian, hat den ganzen Weltkrieg mitgemacht im Westen, Verdun und die Somme und Flandern; und wie der Sohn nun daheim und im Wirtshause immer wieder erzählt hat, wie sie die Polen im Handumdrehen hingelegt haben, daß sie nimmer aufstehen, und deutlich hat durchblicken lassen, wie man das jetzt macht mit den Panzern und den Sturzkampffliegern, da hat er nur mitleidig gelächelt und hat gesagt, mit den Polen, drei gegen einen, fertig werden, wäre keine große Kunst, aber wenn es jetzt an die Franzosen ginge und die Engländer, dann würde ja der Herr Sohn sehen, was ein richtiger Krieg ist. Der Benedikt hat aber nur gesagt, gut, sie würden es sehen, und mit den Franzosen würden sie genau so schnell fertig wie mit den Polen; denn schlechte Soldaten seien die auch nicht gewesen. Er ist dann wieder zu seiner Truppe eingerückt und den Winter über am Westwall gelegen.

Im März ist er auf ein paar Tage heimgekommen und diesmal ist es schon hitziger hergegangen zwischen den Alten und den Jungen, und der Korbinian und der Benedikt, so gut sie sich sonst vertragen haben, sind aufeinander los wie die Gockel, sie haben gewiß oft selber nicht mehr gewußt, wo der Spaß aufhört und der Ernst angeht; der Vater hat gestichelt, daß sie anno vierzehn gleich losmarschiert wären und Lüttich genommen hätten – und die Marneschlacht verloren, trumpfte der Sohn dagegen, und damit den ganzen

Krieg. Eine solche Fretterei fingen sie diesmal gar nicht an. Und der Vater wieder: am Westwall herumlungern und das Weintrinken und Zigarettenrauchen lernen, das könnten sie; und in allen Dörfern den Weibern nachlaufen, man höre genug davon, ja, saubere Geschichten kriege man erzählt, und die Herrn Soldaten täten sich ja noch selber was drauf einbilden. Die alten Leut daheim könnten inzwischen die Arbeit machen, jawohl; die Rösser hätten sie dann wenigstens dalassen sollen, damit man sich nicht mit den Kühen abrackern müßte beim Pflügen, wenn schon die Herrn Söhne sich auf die faule Haut legen wollten.

Das ist natürlich ungerecht gewesen, ich glaube auch, daß es der Korbinian gewußt hat; denn so dumm ist er nicht gewesen. Die Eifersucht hat ihn aufgehetzt; daß es die Jungen so leicht haben sollten, wo sie seinerzeit ohne Sieg und Dank es so bitter schwer gehabt haben, das hat er nicht vertragen. Der Benedikt hat natürlich auch weit übers Ziel hinausgeschossen, wenn er immer von den neuen Waffen geredet hat und von der neuen Haltung der Truppe, was sie ihnen halt so von oben herunter eingetrichtert haben. Und aus dem allen, was er gesagt hat, ist herauszuhören gewesen, daß die Jungen den Krieg machen müßten, weil ihn die Alten verspielt hätten.

Der Korbinian ist dann immer fuchsteufelswild geworden und hat geschrien, ob sich das einer muß hinreiben lassen, der Verdun mitgemacht hat, und sie wollen nun sehen, wie das wird mit Verdun. Er ist ja in Polen nicht dabeigewesen, aber der Oberst von Spreti hat es ihm geschrieben, sein Leutnant von damals, der immer in die Sommerfrische herausgekommen ist; alter Kamerad, hat er geschrieben, wenn du es nicht weitersagst, dann verrat ich dir's: ein einziger Tag an der Somme anno siebzehn ist ärger gewesen als wie der ganze polnische Feldzug. Und auf den Tag, hat er geschrieben, warte ich, wo die jungen Leute ihren Herrgott werden kennen lernen, wenn es einmal aufgeht in Verdun oder in Flandern.

Es ist dann bald wirklich aufgegangen, in Norwegen, in Holland und in Belgien und Frankreich. Das ist jener wunderbare Sommer gewesen, als ob eine Tür aufgegangen wäre in die Welt, die uns Alten verschlossen gewesen ist, vier Jahre lang mit Blut und Eisen. Und der Sommer leuchtet noch heut nach in jedem Gemüt; wenn auch die Tür wieder zugefallen ist seitdem und es scheinen will, als ob es noch tiefer Nacht werden könnte als wie damals. Seinerzeit, wie haben sich alle gefreut! Wenn einer oder der andre noch gesagt hat, daß es lange nicht ausgemacht ist, ob wir gewinnen, weil ja der Engländer noch da ist und der Russe und der Amerikaner, der ist niedergeschrien worden und ausgelacht.

Der Korbinian ist so einer gewesen; ich selber habe der Geschichte auch nicht ganz getraut, aber wie dann eine Siegesmeldung nach der andern gekommen ist, habe ich doch gemeint, wir packen es noch. Der Korbinian hat sich vielleicht auch gefreut, aber es hat doch zugleich ein Wurm an ihm genagt, wie Verdun gefallen ist fast ohne einen Streich und die Somme bloß ein Bächl gewesen ist, über das die Jungen hinübergehüpft sind, mir nichts dir nichts. Er hat es einfach nicht glauben wollen; das muß eine Hexerei sein, hat er gesagt, oder es sind nicht mehr die gleichen Franzosen, die uns damals jeden Meter Boden in Blut und Feuer getaucht haben. Und das mit Verdun hat er schon gar nicht begriffen und er hat vom Douaumont erzählt und vom Toten Mann und er hat sich ehrlich gegrämt, ob sie sich im sechzehner Jahr wirklich so viel dümmer gestellt haben oder nicht so tüchtig gewesen sind, wie die Jungen heute. Denn die neuen Waffen, hat er immer wieder gesagt, die können es allein auch nicht ausmachen; Panzer und Flieger haben die andern auch und geschlafen werden sie nicht haben in den zwanzig Jahren nach ihrem Sieg. Und lachen müßte er, hat er gesagt, wenn jetzt wirklich der Krieg aus wäre und die Jungen kämen heim wie von einem Spaziergang und könnten zu den Vätern sagen, schaut, ihr alten Datteln, schaut, so hättet ihrs auch machen müssen.

Der Krieg ist aber nicht aus gewesen, obwohl es keine Fähnerln mehr zum Stecken gegeben hat bis zur spanischen Grenze und obwohl sie in Berlin ein halbes Schock Marschälle ernannt haben. Wir haben unsern Rundfunk gehört, aber der Loderer Georg, den sie hernach auch richtig erwischt und eingesperrt haben, hat damals schon die ausländischen Sender abgehorcht und hat erzählt, daß der Schämberlein gesagt hat, der Hitler hat den Omnibus verpaßt und jetzt geht der Krieg erst an. Damals hat den Loderer ein jeder ausgelacht, aber ich habe mich noch erinnert, daß wir den Grey damals, anno fünfzehn, auch bespöttelt haben, wie er das gleiche gesagt hat, und daß es dann so fürchterlich wahr geworden ist.

Im Herbst vierzig hat es viel Urlaub gegeben und auch der Benedikt ist heimgekommen. Ich muß sagen, es ist für einen alten Weltkriegsteilnehmer nicht leicht gewesen, sich neidlos zu freuen, und ich habe oft an die Veteranen vom Siebziger Krieg denken müssen, die wir ja auch nicht ganz ernst genommen haben. Dabei ist der Benedikt, das muß man ihm lassen, stiller gewesen und friedfertiger, als wir gedacht haben. Den Jungen ist vielleicht selber unheimlich geworden bei ihren Siegen. Aber freilich, erzählt haben sie genug, wie sie mit den Panzern durchgebrochen sind und wie von oben die Flieger nachgeholfen haben. Trotzdem, wenn sie auch gesagt haben, mit solchen Waffen hätten wir es im Jahr vierzehn auch geschafft, es ist ein Stachel zurückgeblieben; denn daran ist nicht zum Drehen und Deuteln gewesen: wir haben gesiegt und ihr nicht.

Wie der Krieg weitergehen soll, hat niemand gewußt, aber daß wir mit den Russen noch anfangen, haben manche vorausgesagt. Es ist ein großes Gewörtel gewesen am Biertisch, ob die Russen wirklich nichts taugen oder sich bloß verstellen und mauern wie beim Kartenspiel, damit sie uns zur rechten Zeit hereinlegen können. Wir haben nichts anderes zu hören gekriegt, als daß sie Untermenschen sind und nur von ihren Kommissaren vergewaltigt werden und daß wir in fünf Wochen in Moskau stehen und in Petersburg und dann jeder Bauernsohn sich einen Hof heraussuchen kann, so groß er ihn nur mag, in Polen oder in der Ukraine.

Der Korbinian, der Vater, ist ein scharfer Politiker gewesen, aber die Russen hat er nicht gekannt. Er hat nicht geglaubt, daß die Jungen durch sie den Herrgott noch würden kennen lernen, wie er immer gewollt hat. Er hat zu mir gesagt, wenn wir allein gewesen sind, ob ichs denn nicht verstünde, daß das ein schlechtes Ende nehmen müßte, wenn die Buben aus dem Krieg heimkommen und haben bloß immer gesiegt, mit solchen lasse sich nicht hausen auf der Welt, ein Mensch, dem alles hinausgeht, der wird unleidlich vor lauter Stolz und Besserwisserei. Sein eigner Großvater, hat er gesagt, hat ihm oft erzählt, wie froh er gewesen ist, daß anno siebzig doch auf Sedan noch die Loire gekommen ist, sonst hätten sie überhaupt nicht gewußt, was ein Krieg ist. Ich habe ihn aber doch in mancher Schlinge gefangen, den Korbinian, und er hat mir gestehen müssen, daß es auch wegen dem ist, daß der Benedikt ganz klein werden muß und zu Kreuz kriechen aus seiner Hoffart.

Es hat aber wirklich so hergeschaut, als ob es in Rußland nicht anders gehen sollte als in Frankreich. Die Panzer sind dicht vor Moskau gestanden, und in der Illustrierten ist zu sehen gewesen, wie die unsern mit den Scherenfernrohren hineinschauen nach Petersburg. Da haben wir noch lang geglaubt, daß es in der Schnelligkeit vorwärts geht und unsere Zeitungen haben nichts andres geschrieben, als daß Rußland schon ganz morsch ist und daß wir bereits die Fünfzehnjährigen fangen und die alten Männer, die nicht einmal mehr ein Gewehr haben.

Das ist vor Weihnachten gewesen, einundvierzig; und der Benedikt hat im November einen Streifschuß in den linken Arm gekriegt und ist, vor er wieder hat hinausmüssen, etliche acht Tage in Urlaub gekommen. Da hat es dann zwischen Vater und Sohn den großen Streit gegeben, den ich meiner Lebtage nicht vergessen werde. Ich bin mit dem Penzenstadler auf einen Plausch in der Stube gesessen, eigentlich nur im Vorbeigehen. Aber der Benedikt ist grad gut aufgelegt gewesen und hat uns zu Ehren einen Schnaps herausgerückt, den er noch von Frankreich her daheim gehabt hat. Und mit dem Schnaps ist das Sticheln angegangen, im Spaß noch, versteht sich; denn der Vater hat seinen Vogelbeerschnaps, den er schon hat einschenken wollen, mit einem pfiffigen Lächeln wieder zugestöpselt und hat gesagt, gegen einen so feinen Sohn käme der stärkste Vater nicht auf, und seinerzeit hätten die Soldaten im Weltkrieg keinen Schnaps aus Frankreich mit heimgebracht, sondern zerrissene Stiefel; vermutlich, weil sie sich dümmer gestellt haben als die von neunzehnhundertvierzig.

Ich habe gleich gespannt, wo er hinaus will, und habe gebremst, damit sie nicht hintereinander kommen. Wir sind gerecht, habe ich gesagt, und tun deinem Schnaps die gleiche Ehre an wie dem Franzosen. Und auf diese Weise haben wir an dem Abend mehr getrunken, als sonst unter gestandenen Männern der Brauch ist, bald da ein Glas und bald dort. Es war soweit recht gemütlich, wir sind nur immer tiefer in die Politik geraten: der Benedikt hat uns auseinandergesetzt, wie sie jetzt bis zum Ural vorstoßen wollen und daß wir dann in der Ukraine so viel Brot haben, daß wirs nicht alles essen können, und im Kaukasus so viel Benzin, daß jeder in einem Automobil fahren darf. Und daß wir ein Großdeutsches Reich kriegen müssen und lauter solches Zeug, wie sie es ihm eingelernt haben bei den Soldaten.

Der Korbinian hat gesagt, daß wir das Großdeutsche Reich noch nicht haben und daß er es auch gar nicht mag; was ihn angeht, er hat das Kraut noch nicht verdaut, das sich die Preußen anno vierzehn zu viel herausgenommen haben; und jetzt wollt ihr uns schon den zweiten Teller voll aufladen, hat er gesagt, und einen Brocken ukrainisches Brot dazu, an dem der deutsche Bauer ersticken muß.

Der Benedikt hat recht mitleidig gelächelt über so viel Hinterwäldlerei und hat mit lauter Sprüchen aufgetrumpft, daß die Führung jetzt eine ganz andre ist und das Volk auch. Und der Korbinian, schon rot vor Zorn, ist aufgesprungen und hat geschrien, er sollte es nur frei heraussagen, was er sich sowieso denkt: und die Soldaten auch! Er hat gar keine Antwort abgewartet, sondern gleich weitergeredet: dann wünscht er ihm, dem Benedikt, daß er endlich einmal einen richtigen Krieg erlebt, damit ihm sein dummes Geschwätz vergeht und sein hochmütiges Lachen; ja, das wollte er noch erleben, daß sie heimkommen, die Jungen, und erzählen, wie es gewesen ist, und daß er, der Vater, dann zugeben müßte: das haben wir nicht mitgemacht, jetzt könnt *ihr* reden, jetzt sind wir still mit Verdun und mit der Somme und unserm ganzen windigen Weltkrieg, den wir verloren haben. Und wenn ihr dann noch Lust habt auf eure großen Höfe in der Ukraine, dann könnt ihr ja hinunterfahren mit dem vielen Benzin und uns kleine Gütler daheim lassen und auslachen – wir sind's zufrieden.

Der Benedikt ist ganz blaß geworden, hat still sein Glas hingestellt und bloß gesagt: So, das wünschst du mir... und ist aus der Stube gegangen. Wir sind alle recht dasig dagesessen und dem Korbinian ist gar nicht wohl gewesen in dem eisigen Schweigen. Bevor aber der Benzenstadler oder ich was hätten sagen können, hat es geklopft und der Loderer ist hereingekommen mit einem ganzen Hut voller Neuigkeiten, ob wir es schon wüßten, daß es in Rußland stinkt; die unsern müßten zurück, das heißt, sie möchten gern, aber sie können nicht, weil sie zu Hunderten erfrieren im Schnee und von den Kosaken zusammengehauen werden wie die Napoleonischen anno achtzehnhundertzwölf. Ich habe ihm gleich das Maul verboten, wir wüßten schon, wo er seine trüben Weisheiten her hat, aber der heillose Kerl hat nur immer wieder mit neuen Hiobsbotschaften aufgetrumpft, er hat ja auch nicht wissen können, wie das den Korbinian getroffen hat, grad in dem Augenblick.

Der Sohn hat sich an dem Abend nicht mehr blicken lassen, und der Vater ist ihm nicht nachgelaufen. Wir hätten noch alles leidlich eingerenkt; denn ein böses Wort läßt sich wieder gut machen, wenn es nicht das letzte ist. Ein unglücklicher Zufall hats so gefügt, daß es das letzte hat sein sollen. Der Korbinian ist den andern Tag in aller Früh nach auswärts gefahren, und er ist noch keine Stunde aus dem Haus gewesen, da hat der Bürgermeister einen Boten geschickt, der Benedikt müßte sofort, noch vor den Feiertagen, zu seiner Truppe einrücken. Da ist er aus dem Haus, in aller Stille, ohne Abschied, und seitdem ist er nicht wiedergekommen.

Es hat sich bald herausgestellt, daß der Loderer recht behalten hat, so ungern wir es gehört haben. Es ist plötzlich der Aufruf gekommen, daß wir die Wintersachen sammeln müssen für die frierenden Soldaten, und wer da nicht taub war, hat es heraushören müssen, wie schlecht es steht und wie sie bei uns alle den Kopf verloren haben. Sie haben ihn ja dann wieder aufgesetzt, trotziger als zuvor, aber der Glaube, daß alles so tanzen muß, wie wir pfeifen, hat damals zu wanken angefangen. Im Frühjahr sind dann die ersten Männer aus den Lazaretten gekrochen, ohne Hand und Fuß, es waren solche dabei, denen alle zwei Arme weggefroren waren, es ist zum Erbarmen gewesen. Sie haben erzählt von der großen Kälte, die plötzlich hereingebrochen ist wie seit Menschengedenken nicht mehr, und ich habe mich an meinen Urgroßvater erinnert, den ich als dreijähriger Bub als einen Neunziger noch im Lehnstuhl habe sitzen gesehen. Er ist als blutjunger Trommler mit dem Napoleon nach Rußland gezogen, und wenn ihn einer gefragt hat, wie es gewesen ist, dann hat er bloß gesagt: kalt.

Der Benedikt hat ja das große Unglück nicht miterlebt;

denn bis er wieder hinausgekommen ist, war das Ärgste vorbei, und die Unsern sind mit Macht durch die Ukraine gestoßen, bis in den Kaukasus und nach Stalingrad. Und die erste Warnung haben wir vergessen, auch wir daheim, und wie in der Erntezeit der Loderer gesagt hat, es kommen keine fünf von hundert mehr heim von denen, die jetzt so tief drin stehen in Rußland, da sind alle über ihn hergefallen und der Kneidl hat ihn bei der Partei hingehängt – hätte es auch nicht gebraucht – und er ist nachher verhandelt worden und sitzt heute noch; ums Haar hätten sie ihn geköpft für etwas, das sechs, acht Wochen später die Spatzen von den Dächern gepfiffen haben; daß es schlecht herschaut in Stalingrad.

Das Stalingrad kenne ich recht gut; denn ich bin im Jahre sechzehn am Seret gefangen und nach Sibirien verschleppt worden. Da sind wir bei Zarizin, so hat es damals noch geheißen, über die Wolga gefahren worden, die so breit ist wie der obere See.

Der Benedikt ist nie ein großer Freund vom Schreiben gewesen, aber jetzt hat er schon gar nichts mehr hören lassen, als daß er noch lebt und daß es ihm gut geht. So gut kann es ihm aber nicht gegangen sein; denn der Penzenstadler Lukas, der gewiß keiner von den Frömmsten gewesen ist, hat seiner Mutter geschrieben, daß sie alle beten sollen für ihn, denn oft verzweifeln sie selber, ob sie die Heimat noch einmal sehen dürfen. Der alte Penzenstadler hat den Brief dem Korbinian gezeigt, aber das hätte er besser bleiben lassen. Denn der Vater ist nur noch hintersinniger geworden. An Weihnachten zweiundvierzig hat er seinen Trotz aufgegeben und hat von sich aus dem Benedikt geschrieben. Er hat seinen unseligen Wunsch zurückgenommen und hat den Sohn wissen lassen, daß er, der Vater, jetzt selber hat seinen Herrgott erkennen müssen. Aber er hat keine Antwort mehr gekriegt auf den Brief, und wer weiß, ob ihn der Benedikt überhaupt noch erhalten hat. Denn im Januar drauf ist das große Sterben angegangen in Stalingrad, und wir haben gelesen, daß sie nichts mehr zum essen haben und sich bloß noch mit dem Spaten wehren. Da haben wir uns geschämt, daß wir noch unsere warme Suppe gelöffelt haben und in den weichen Betten gelegen sind.

Der Penzenstadler Lukas ist, wie gesagt, mit einem Knieschuß als einer der Letzten noch herausgekommen und hat trübe Nachrichten mitgebracht, aber ein gutes Wort vom Benedikt an seinen Vater hat er nicht mitbringen können. Ich habe ihm ins Gewissen geredet, er soll halt in Gottes Namen was erfinden, was für den alten Mann ein Trost ist, aber er hat gesagt, daß er nicht lügen kann und daß ihm der Benedikt nie was dergleichen mitgeteilt hat, obwohl sie oft beisammen gewesen sind.

Der Korbinian hat sich auch gar nicht trösten lassen, er hat auf alles, was wir vorgebracht haben, bloß die eine Antwort gewußt, daß er's ja selber so wollen hat. Wenn man ihm gesagt hat, er solle sich nicht einbilden, daß ein vermessenes Wort für alle die Hunderttausend Kraft hat haben können, die da zu Grund gehen, dann hat er gemeint, die andern gingen ihn nichts an, aber mit dem Herrgott hätte jeder Mensch seine eigene Rechnung, und die seinige müßte er zahlen, er ganz allein. Und wenn wir ihm zugeredet haben, daß doch die meisten gefangen worden sind und schon noch heimkommen werden, dann hat er bloß den Kopf geschüttelt: je fester er an den Benedikt denkt, desto gewisser weiß er, daß er tot ist.

An Lichtmeß ist Stalingrad gefallen, an Josephi haben wir den Korbinian vom Türbalken geschnitten; sie haben daheim immer ein Auge auf ihn gehabt, aber daß er sich etwas antut, hätten sie nicht vermutet. Es hätte ihm ja auch niemand helfen können, denn wenn einer inwendig so krank ist, kann ihm keiner ein Wort sagen, das er nicht selber schon weiß.

Es ist eine traurige Sache, aber was ist nicht traurig jetzt? Und was das Schicksal mit uns allen noch vorhat, wissen wir nicht; daß es ein Frevel ist, wenn man ihm vorgreifen will, das hat ja grade die Geschichte bewiesen, vom Vater und vom Sohn, die alle zwei brave Leute gewesen sind und doch ein schlimmes Ende gefunden haben – das heißt, wenn das überhaupt ein Ende war . . .

Das Gerücht
Die Erzählung des Reisenden

Daß wer das Ende einer Geschichte früher zu hören bekommt, als ihren Anfang, ist so selten nicht; wir lernen das meiste nur in Bruchstücken kennen und gar den Frauen sagen wir nach, daß sie die Romane von hinten zu lesen beginnen, weil sie zuerst, in ihrer Neugier, wissen wollen, wie alles hinausgeht. Mir aber haben sich einmal die Trümmer eines fremden Schicksals auf eine so merkwürdige, ja, schaudervolle Weise an einem einzigen Tag zusammengefügt, daß ich es doch, so gut ich kann, erzählen will.

An einem finstergrauen, zwischen der Süßigkeit des Föhns und der Bitternis des Schnees schwankenden Nachwintertag des Jahres dreiundvierzig bin ich, auf der Reise zu einem Freund im Allgäu, in den Lindauer Schnellzug gestiegen, nur für das kurze Stück zwischen Kempten und Oberstaufen. In dem Abteil der zweiten Klasse, das mir am leersten erschien, sind am Fenster zwei Offiziere gesessen, sie haben ihr Gespräch vor dem fremden Fahrgast gedämpft und erst, als ihrem prüfenden Blick Genüge getan war, haben sie wieder weitergeredet. Ich habe sie nicht stören wollen, ich habe, trotz der schon sinkenden Dämmerung, versucht, in meinem Buche zu lesen; aber ich bin von dem, was die beiden Männer miteinander gesprochen haben, wider Willen mehr und mehr angezogen worden; und nach kurzer Zeit habe ich gehorcht, auf jedes Wort begierig, mühsam genug beim langsam sausenden Singen des Zuges und bei den halblauten, abgewandten Stimmen der Sprechenden.

Der ältere ist ein dicker, grauer Major gewesen, Reserve vermutlich, mit Auszeichnungen aus dem Weltkrieg; der andere ein blutjunger Oberleutnant, mit beträchtlichen Orden aus dem gegenwärtigen Krieg, der damals gerade seine fürchterlichsten Schatten zu werfen begonnen hat, nach Jahren des verblendenden Lichts rascher Siege.

Der Major ist auf den ersten Blick nicht angenehm zu betrachten gewesen. Er hat jenes feiste Gesicht gehabt, das ich nun einmal nicht leiden kann und hat aus kleinen Elefantenaugen vor sich hingeschaut; sein buckliger Schädel war kahl geschoren. Der Oberleutnant aber ist ein hübscher, kühngesichtiger Mann gewesen.

Ich habe erst nach einiger Zeit begriffen, worum das Gespräch sich drehte; um einen Soldaten nämlich, aus der Kompanie des Oberleutnants, der, offenbar vor ganz kurzer Zeit, standrechtlich erschossen worden war.

Hier in der Gegend, sagt der Oberleutnant, und weist nach Südwesten, wo sich über den tintenblauen Bergen der schwere Wolkenvorhang gehoben hat und schwefelgelb ein Streifen brennenden Lichtes quillt, hier herum müsse der Mann zu Hause sein. Und zu dem vielen, was er, der Oberleutnant, sich nicht verzeihen könne, komme noch, daß er sich die genaue Anschrift nicht gemerkt habe; freilich, daß er so bald des Weges käme, knapp vor dem neuen Einsatz im Osten auf Dienstreise geschickt, das sei ein Zufall, mit dem wahrhaftig niemand habe rechnen können.

Dummerweise, fährt er nach einigem Schweigen fort, sei er ausgerechnet damals stellvertretender Bataillonsführer gewesen; nur für die paar Tage vor der Verladung. Sonst wäre ihn die ganze Geschichte nichts angegangen, denn die Kompanie wäre ja unter den gegebenen Verhältnissen nicht zuständig gewesen. Und gleich fünf Tage Urlaub! Das sei ihm denn doch ein allzu unverschämtes Ansinnen gewesen. Und wohin? Der Wildenauer habe so herumgedruckt. Da habe er, der Oberleutnant, gesagt, drei Tage Heimaturlaub oder gar keinen, basta! Und der Wildenauer habe sich nichts mehr zu antworten getraut.

Vielleicht, sagt der junge Offizier, wäre alles in Ordnung gegangen, wenn er ihm die fünf Tage gegeben hätte, dorthin, wo er's haben wollte. Der Wildenauer, das sehe er heute ein, hätte fünf Tage gebraucht; ohne Zweifel sei er sofort entschlossen gewesen, so lang auszubleiben und notfalls den Urlaubsschein zu fälschen.

Zu allem Unglück sei auch der verdammte Bericht, den er, ohnehin erst am sechsten Tag, ans Regiment gemacht habe, wie mit Satans Schnellpost zur Division gegangen; so sei es nun einmal beim Barras, hundert eilige Sachen blieben liegen, aber was gern einmal Aufschub vertrüge, das renne wie der Teufel ...

Er verstehe, gibt der Major zur Antwort, und seine Stimme

klingt warm und gut, er verstehe den Kummer des Kameraden genau; aber Vorwürfe sollte er sich nicht machen, denn er habe doch mehr als genug zugewartet und alles versucht, um den Mann wieder zur Truppe zurückzubringen. Letzten Endes sei der Mann, obgleich er in Straßburg vor die Gewehre habe müssen, auch auf die ungeheuerliche Rechnung von Stalingrad zu setzen; denn überall habe man, von oben her, die Reizbarkeit der Herren gespürt und den blinden Eifer, warnende Beispiele aufzustellen. Acht Wochen früher oder später wäre der Mann mit Gefängnis oder mit einer Versetzung davongekommen. Vermutlich, setzte er, halb fragend, halb nachdenklich, hinzu, vermutlich die alte Geschichte: Urlaubsüberschreitung zuerst, dann, zum Trotz, eine lustige Nacht, mit Wein und Weibern gar, dann das grausame Erwachen . . . Ein fehlgeschlagener Versuch, vielleicht, sich heimlich noch einzuschleichen; dann, bei immer verlornerer Frist, die wachsende Verzweiflung und endlich die Teufelseinflüsterung: den grauen Rock auszuziehen, sich zu verbergen, die Leute anzulügen, der Urlaub sei verlängert worden oder ihnen sonst weiß Gott was vorzumachen. Und dann komme dieses Höllenleben, in dumpfer Gleichgültigkeit und in rasender Angst, mit schlecht gefälschten Papieren und ohne Lebensmittelmarken. Wie eine Fliege im Spinnetz, sagte der Major, scheußlich! Und er trommelte einen Trauerwirbel auf die Fensterscheibe, mit raschen Fingern, wie ein zappelndes Insekt.

Schau an, denk ich, der alte Herr, der kennt sich aus, der schaut tiefer mit seinen kleinen Augen, als ich vermutet hätte. Der Oberleutnant aber, der aus Höflichkeit den Rangälteren mochte ausreden haben lassen, schüttelt jetzt betrübt den Kopf. Nein, sagt er, er wäre froh, wenn der Fall so eindeutig klar stünde. Mit einem gewöhnlichen Ausreißer habe er kein Mitleid, da müsse scharf durchgegriffen werden, obwohl es da auch so sei, wie überall, die armen Gimpel würden leicht gefangen, während sich die gerissenen Burschen zu Tausenden in Berlin und Warschau herumtrieben. Aber beim Wildenauer liege die Sache anders, der habe gar keine Fahnenflucht beabsichtigt, sondern sie nur, bei der äußerst kurzen und oberflächlichen Verhandlung mit einem dumpftrotzigen »Jawohl« auf alle Fragen zugegeben, um etwas andres, viel tiefer liegendes, zu verschweigen. Er habe ein

Geheimnis mit ins Grab genommen, er habe auch ihm in der letzten Stunde nichts gesagt.

Er selber, sagt der Oberleutnant, glaube, es gehe auf etwas Ähnliches hinaus wie die Bürgschaft von Schiller, nur mit dem häßlichen Unterschied, daß der Wildenauer die Frist heillos versäumt hat; wahrscheinlich hat auch er für die Schwester den Gatten gefreit, allerdings auf eine bösere Art, als in dem Gedicht. Und was nun den Freund anbelange, so beginne der Vergleich mit Schiller stark zu hinken, denn er selber, der Oberleutnant, habe ja die Rolle gespielt und den Urlaub des Mannes auf seine Kappe genommen; schlecht gespielt, seine Rolle, und das sei es ja, was ihm das Herz so schwer mache; obgleich er nicht wisse, wie er sie hätte besser spielen sollen. Er habe, setzt er mit mattem Lächeln dazu, sich wohl zu streng an den Text gehalten und dem Wildenauer nur drei Tage Zeit gegönnt; die wären eben zu wenig gewesen . . .

Hinterher, unterbricht ihn der Major, sei jeder leicht klüger; in diesem Fall wüßte er aber auch nachträglich keinen Rat. Der Herr Kamerad habe sich nichts vorzuwerfen und, wenn in Jahren erst vielleicht, dieser verdammte Krieg zu Ende gehe, werde man schrecklichere Fügungen zu beweinen haben als den Tod dieses einen Mannes, dem keine Gnade, aber doch ein Recht zuteil geworden sei, auch wenn man die mutmaßlichen Geschichten aus dem Spiele lasse. Noch geistere ein trügerisches Licht der Siege über das Ereignis, noch sei man allzu bereit, Gefühlen nachzugeben; aber in Stalingrad, so scheine ihm doch, habe soeben die Schicksalshand das Zeichen an den Himmel geschrieben, das kein Menschenherz ganz zu entziffern wagen dürfe, es stürbe denn daran . . .

Der Oberleutnant hebt die erschrockenen Augen zu mir herüber, aber ich blicke in mein Buch, als hätte ich kein Wort gehört, und so fängt er wieder zu erzählen an. Das Regiment, sagt er, sei dicht bei Straßburg gelegen, jeden Tag bereit, an die Ostfront abzurücken; da komme der Wildenauer zu ihm, er bitte gehorsamst um fünf Tage Urlaub. Er habe den Mann groß angeschaut: Urlaub? Jetzt!? Aber der Wildenauer habe erklärt, er müsse dringend etwas regeln. Was? So halt, was Persönliches. Wenn er nicht mit der Sprache herausrücke, sei überhaupt nichts zu wollen. Der Wildenauer habe aber bloß hintergründig gelächelt. Er werde doch keine Dummheiten machen? Wo der Herr Oberleutnant hindenke!

Kurz und gut, er habe dann, auf eigene Verantwortung und im Vertrauen auf die bisherige gute Führung, dem Mann drei Tage Urlaub bewilligt, in die Heimat, hier, den Namen des Orts habe er eben, zum Teufel, vergessen. Der Wildenauer habe ihm in die Hand versprochen, ihm keine Scherereien zu machen. Ganz wohl sei ihm, als Bataillonsführer, dabei nicht gewesen und auch der Feldwebel habe seine Bedenken geäußert, ob man's nicht besser wenigstens übers Regiment machen sollte, aber da hätte er gradsogut den Urlaub gleich streichen können. Und er habe also zum Feldwebel gesagt, auf den Wildenauer, so ein Teufelskerl der sonst auch sei, verlasse er sich wie auf sich selber.

Die drei Tage seien verstrichen, am vierten in der Früh habe der Feldwebel, nicht ohne schadenfrohe Besorgnis, gemeldet, daß der Wildenauer nicht einpassiert wäre. Das Bataillon habe gleich an die Heimatgemeinde, wohin ja der Urlaubsschein ausgestellt war, gedrahtet; am fünften Tag sei die Antwort eingelaufen, von einer Anwesenheit des Gesuchten sei nichts bekannt geworden. Daraufhin habe er sich die nächsten Kameraden kommen lassen, er habe sie ausgefragt, wohin der Wildenauer denn sonst noch Beziehungen gehabt hätte. Und nach längerem Herumdrücken habe einer gesagt, daß er immer von einer Schwester geredet hätte, die in Wien oder so wo in einer Fabrik arbeite. Und vielleicht wäre von der auch der Brief gewesen, den er vor etlichen vierzehn Tagen gekriegt hätte und über den er in eine weiße Wut ausgebrochen wäre.

Wenn überhaupt, sagt der Major, ein Vorwurf berechtigt wäre, könnte es nur der sein, daß der Herr Kamerad dem Mann nicht genauer auf den Zahn gefühlt habe, was er vorhabe und warum er fünf Tage brauche. Vielleicht hätte man ihm seine finsteren Pläne ausreden können.

Dazu aber lächelt der Oberleutnant, der Herr Major wisse doch, daß es auf eins hinauslaufe, ob man aus so einem Bauernburschen eine Lüge herauspresse oder gar nichts; von finsteren Plänen, möglicherweise, sei ja erst die Rede gewesen, wie der Wildenauer schon drei Tage überfällig war. Er selbst sei überzeugt gewesen, daß es sich um einen

Liebeshandel drehe, den die Leute durchaus geheim halten möchten. Der Mann habe ihn auch so treuherzig-verschmitzt angeschaut, daß man auf gar keinen anderen Gedanken hätte kommen können.

Jedenfalls, fährt der Oberleutnant fort, wie am Nachmittag des sechsten Tages immer noch kein Wildenauer aufgetaucht sei, da habe er schweren Herzens dem Schicksal seinen Lauf gelassen und Meldung ans Regiment gemacht. Zwei Nächte darauf sei das Regiment abgerückt zum Verladen, bei Sturm und Regen. Er habe immer noch Hoffnung gehabt, der Wildenauer komme doch daher, man könnte ihn vielleicht in der allgemeinen Unordnung des Aufbruchs vorerst mit nach Rußland nehmen, Zeit gewonnen, wäre schon viel gewonnen gewesen und im ersten Einsatz im Osten würden die Herren wohl andre Sorgen haben, als die Verhandlung gegen einen Ausreißer.

Und wirklich sei der Wildenauer in dieser Nacht gekommen, aber nicht allein und von selbst; zwei Feldjäger hätten ihn gebracht. Ganz abgezehrt sei er gewesen und habe ihn mit brennenden Augen angeschaut. Menschenskind, habe er ganz bestürzt gerufen, wo haben denn Sie sich herumgetrieben, was ist denn mit Ihnen los? Und da habe der Wildenauer ganz kleinlaut gestammelt, Pech habe er halt gehabt.

Die Meldung der Feldpolizei habe bös ausgeschaut. Sie habe den Mann aus dem Schnellzug geholt, in Rosenheim, er habe der Verhaftung tätlichen Widerstand entgegengesetzt, habe den herbeigerufenen Offizier über den Haufen geworfen und sei noch einmal entsprungen; erst vierundzwanzig Stunden später sei er zum zweitenmal im Stuttgarter Zug festgenommen worden, wobei er abermals versucht habe, den Streifenführer zur Seite zu stoßen und zu flüchten. In Rosenheim habe man ihm einen offensichtlich gefälschten Urlaubsschein abgenommen, bei der zweiten Festnahme habe er überhaupt keine Papiere gehabt.

Es sei eine scheußliche Geschichte gewesen, berichtet der Oberleutnant weiter und er paßt jetzt, in der Erregung, gar nicht mehr auf, ob ich zuhöre oder nicht. Man habe die Unterkünfte schon verlassen gehabt und fürs erste gar nicht gewußt, wo man den Mann, gefesselt, wie er war, unterbringen sollte. Er selber sagte, es sei jetzt verspielt, er laufe nicht mehr davon. Er, der Oberleutnant, habe dann wenigstens dafür gesorgt, daß der Mann was zu essen bekäme. Zuerst habe er nichts angerührt, aber wie man ihn dann allein gelassen habe, da habe er, trotz der Handschellen, alles wild hineingeschlungen wie ein Tier; weiß Gott, wie lang er keinen Bissen zwischen den Zähnen gehabt habe.

Es sei nichts übrig geblieben, als unverzüglich im Nachgang zur ersten Meldung den neuen Tatbestand dem Regiment mitzuteilen. Zu allem Unglück habe sich die Verladung infolge eines Wirrwarrs von Befehlen und Gegenbefehlen verzögert, die Leute seien aufsässig gewesen und der Regimentskommandeur, weitum unter dem Spitznamen »der stramme Max« bekannt, sei wütend gewesen, weil ihm der Transportoffizier den Pkw, den er unter der Hand hatte mitnehmen wollen, kaltblütig, unter Hinweis auf die Bestimmungen, von der Rampe hatte abschleppen lassen.

Der kommandierende General, sagt er, sei auch plötzlich aufgetaucht, unerkannt zuerst in seinem grauen Umhang, mitten unter den murrenden Leuten, und der verärgerte Oberst, eilig herbeigerufen und von der ganzen Mannschaft mit kaum verhehltem Hohn begrüßt, habe nichts besseres gewußt, als dem General gleich den Fall Wildenauer als übelstes Beispiel der gelockerten Zucht vorzustellen; worauf der General in seinem ersten Zorn gebrüllt habe, er lasse den Kerl standrechtlich erschießen.

Er wolle damit, meint der Oberleutnant, beileibe nicht sagen, daß das alles unmittelbar auf den Entscheid des Kriegsgerichts, das anderntags zusammengerufen worden sei, eingewirkt habe. Er glaube aber, das Urteil würde milder ausgefallen sein, wenn die Herren bei Sonnenschein gut gefrühstückt gehabt hätten.

Die eigentlichen Hintergründe seien gar nicht aufgerollt worden. In diesem Punkt habe man sich mit der Aussage des Angeklagten begnügt, er habe seine Schwester in Wien vor dem Einsatz im Osten noch einmal besuchen wollen, habe sie aber nicht getroffen. Er selber, der Oberleutnant, habe versucht, diese Reise nach Wien in den Vordergrund zu schieben, um vielleicht ein milderes Licht auf den Unglücklichen zu werfen, aber der habe ihn so flehentlich angeschaut und den Kopf geschüttelt, daß er geschwiegen habe. Übrigens habe er selbst in der Verhandlung einen Verweis wegen leichtfertiger Urlaubserteilung bekommen, der wohl den Glanz der Hauptmannssterne für mindestens ein halbes Jahr verdunkeln werde.

Das Todesurteil, sagt der Oberleutnant weiter zu dem Major, der sich nur noch aufs Zuhören beschränkt, sei im Morgengrauen des nächsten Tages vollstreckt worden, hinter einem Schuppen des Verladebahnhofs; es habe immer noch geregnet und erbärmlich kalt sei es gewesen. Ein Teil des Regiments sei bereits abgerollt, sein Bataillon habe noch auf die Wagen für die Mannschaften gewartet.

Der Wildenauer sei an sich ganz gefaßt gewesen und habe, rührenderweise, zu ihm, als er noch einmal hinzutrat, gesagt, das ärgste sei ihm, daß er dem Herrn Oberleutnant nun doch so viele Unannehmlichkeiten gemacht habe. Die Rotte sei bereits angetreten gewesen, da habe ausgerechnet noch der Feldwebel kommen müssen mit der Dienstvorschrift, in der stehe drin, daß ein Mann nicht in der Uniform erschossen werden dürfe, sondern in die Drillichmontur einzukleiden sei.

Kein Mensch, sagt der Erzähler mit Abscheu und Erbitterung, kein Mensch hätte was davon gemerkt, wenn nicht der Gschaftelhuber sich mit seiner Paragraphenfuchserei wichtig gemacht hätte.

Hier wirft, wunderlicher Weise, der Major ein Wort dazwischen; ob den Herrn Kameraden, fragt er, das wundere, bei einem im Grund so humorlosen Volk wie den Deutschen, die so lang auf ihr Gemüt pochen, bis sie es gründlich verloren haben.

Nein, es wundere ihn nicht, sagt der Oberleutnant, aber man sieht, er hat jetzt keine Zeit für Betrachtungen, er hat wohl das schrecklich beschämende Bild vor Augen, das er sein Leben lang nicht vergessen wird. Der Mann, berichtet er, der arme Teufel, habe sich wirklich in einem Schuppen noch umziehen müssen. Schlecht geschossen sei auch noch worden, kurz, es sei eine Schweinerei gewesen, alles habe zusammengepaßt, das widerwärtige Schauspiel, die üble Stimmung der Truppe und das scheußliche Wetter.

Die beiden Herren schweigen eine Weile, dann sagt der Jüngere, er sei, wider alles Erwarten, noch einmal nach Straßburg geschickt worden. Eine Maschine sei grade nach München geflogen und da habe er, ohne Zeitverlust, den Umweg über den Bodensee nehmen können, wo er noch etwas zu besorgen habe. Deshalb sitze er jetzt in diesem Zuge und fahre an der Heimat des Wildenauer vorüber.

Ob die Angehörigen, fragt der Major, von der traurigen Sache schon unterrichtet seien. Kaum, sagt der Oberleutnant, vielleicht, daß sie in dieser Stunde davon erführen; darum ärgere ihn ja so, daß er den Namen des Ortes vergessen habe. Er würde gern, das heiße, gern natürlich nicht – aber er würde es auf sich nehmen, dem alten Vater alles zu sagen, so menschlich es gehe, statt daß jetzt die Mitteilung komme, in dürren Worten, an den Bürgermeister, zusammen mit der kargen Hinterlassenschaft. Er könne sich denken, wie schwer ein solcher Schlag hinzunehmen wäre, der Tod in Schande, das Geschwätz der Leute, die Unmöglichkeit, einen Heldengottesdienst abhalten zu lassen oder auch nur das Bild des Sohnes auf das Familiengrab zu stellen. Abgesehen davon hätte er auch gehofft, über die Zusammenhänge Näheres zu erfahren. In der Reise nach Wien scheine ihm das Geheimnis zu stecken; und je genauer er den Vergleich mit der Bürgschaft bedenke, um so unheimlicher treffe er zu – vom Wildenauer aus gesehen, sei ja die Zugstreife nichts anderes gewesen, als die raubende Rotte, die ihm den Pfad gesperrt habe – denn zurück habe der Wildenauer ursprünglich wollen, darüber habe er keinen Zweifel.

Der Major sagt, er fürchte, daß der Mann mit Grund geschwiegen und die Anklage auf Fahnenflucht bewußt auf sich genommen habe; man tue gut daran, der Geschichte nicht weiter nachzugehen, vielleicht verliere sich ihre Spur in dem ungeheuern Schreckensstrom des Krieges, vielleicht auch komme sie eines Tags ans Licht.

Inmitten dieses Gesprächs war der Zug in Oberstaufen eingelaufen und ich habe aussteigen müssen, ohne das Ende des Berichtes gehört zu haben, zu dem der Oberleutnant gerade wieder angesetzt hat.

Ich bin, bei rasch sinkender Dämmerung, im nassen Schnee auf dem kleinen Bahnhof gestanden und habe mich nach einer Fahrgelegenheit umgeschaut; denn es sind noch gut sieben Kilometer bis Waldegg gewesen, wo mein Freund zu Hause ist. Ich habe dann einen Bauern angesprochen, einen finstern alten Mann, der eine hochschwangere junge Frau in den Rücksitz eines Pferdeschlittens verpackte. Wenn ich mich zu ihm auf den Bock setzen wollte, sagt er, hätte er nichts dagegen, mich mitzunehmen, er fahre ohnehin nach Waldegg.

Ich habe dem Mann von meinem Tabak angeboten und er hat sich seine Pfeife gestopft, dann sind wir in die mürbe Schneenacht hinausgefahren, schweigend. Wer das Sitzen auf dem Bock nicht gewohnt ist, der meint, jeden Augenblick herunterzufallen, aber schlecht gefahren ist immer noch besser, als gut gegangen. Ein blasser Schein ist über dem grauen Land gelegen, da und dort hat ein rötliches Licht verstohlen geblinzelt, ich habe an die großen Städte gedacht, die sich jetzt in der Angst vor dem Angriff ducken und habe gemeint, hier in den Bergen spüre man den Krieg doch weit weniger als draußen in der Ebene. Das schon, brummt der Bauer, aber ihm lange es, trotzdem. Das sei seine Tochter, sagt er und deutet mit der Peitsche nach hinten, mit einem Kind und keinem Mann dazu; wer wisse, ob der Kerl sie geheiratet hätte, aber darüber brauchte man sich den Kopf nicht mehr zu zerbrechen; denn er sei erschlagen worden, niemand wüßte, wie und von wem . . .

Ich habe nicht viel drauf gesagt, ich bin müde gewesen und habe aufpassen müssen, nicht vom Bock geschleudert zu werden. So sind wir wieder stumm weitergefahren, unterm schweren, sternlosen Himmel, in den ausgeleierten Gleisen der morschen Bahn und ich habe stumpfsinnig dem Pferd vor mir auf die zottigen Füße und die einschläfernd schaukelnden Hinterbacken geschaut.

Sein Bub, sagte nach einer langen Weile der Alte, an seiner erloschenen Pfeife saugend, sei auch draußen; er höre nichts von ihm, aber man erzähle, das Regiment sei nach Rußland gekommen. Es sei eine spassige Geschichte, er habe den Verdacht, dem Buben sei etwas zugestoßen, am Ende sei er gar gefallen. Es wispere so um ihn herum, vielleicht habe ein Nachbarsohn was heimgeschrieben – aber wenn er geradezu frage, wisse niemand was.

In dem Augenblick ist die Straße bergab gegangen, ins Dorf hinein und das Pferd hat einen Satz gemacht, daß wir beinahe umgeworfen hätten. Ich habe mich mühsam genug angekrallt und bis ich wieder so recht zu mir gekommen bin, haben wir vor der Tür meines Freundes gehalten. Ich habe dem Mann noch einmal eine Hand voll Rauchtabak gegeben, der Schlitten ist ins Dorf weitergefahren und ich bin, überraschend genug, vor meinem Freund in der warmen, behaglichen Wohnstube gestanden.

Als erstes, nach der Begrüßung, hat er natürlich wissen wollen, wie ich hergekommen wäre. Ich erzähle ihm, daß mich ein alter, schnauzbärtiger Bauer auf dem Bock seines Schlittens habe mitfahren lassen und da sagt er – und schaut seine Frau bedeutungsvoll an, da sei ich ja mit dem alten Wildenauer gefahren.

Es ist jetzt an mir gewesen, überrascht, was sage ich, im Innersten betroffen zu sein. Es gingen, berichtet die Frau, tolle Gerüchte um, eine böse Sache sei es wohl; sie habe gehört, der Bürgermeister habe vorgestern ein Päckchen mit den Habseligkeiten des jungen Wildenauer bekommen, aber gefallen sei der wohl nicht ... Nein, sage ich und erzähle in die erstaunten Augen meiner Gastgeber hinein, daß der Sohn in Straßburg standrechtlich erschossen worden sei. Wir haben dann die Stücke zusammengesetzt wie ein zerbrochenes Gefäß und die Scherben haben genau aufeinandergepaßt. Es ist eine runde Geschichte geworden. Der Wildenauer hat den Brief von seiner Schwester bekommen und hat den Plan gefaßt, die Sache, so oder so, in Ordnung zu bringen. Er ist nach Wien gefahren, hat sich aber bei seiner Schwester gar nicht sehen lassen, sondern zuerst mit dem Liebhaber abgerechnet. Der mag ihm, weiß Gott, eine Heirat rundweg abgelehnt haben, vielleicht hat er ihn auch verhöhnt und beleidigt, jedenfalls hat der Wildenauer den Mann im jähen Zorn niedergeschlagen.

Er hat dann den beispiellosen Glücksfall erkannt, hat die Lücke wahrgenommen, durch die ihn das Schicksal entschlüpfen zu lassen schien: Wenn er ohne Aufhebens wieder zur Truppe kam, erfährt niemand, wo er gewesen ist. Der Tote redet nicht mehr.

Aber er fängt sich in den Netzen der Feldpolizei. Ein rabiater Bursche ist er von Natur aus, jetzt weiß er, daß für ihn alles auf dem Spiel steht, er versucht, die Maschen zu zerreißen, koste es, was es wolle. Er zerreißt sie nicht, er hat – und das ist seine ganze moralische Einsicht – Pech gehabt. Das ist auch das einzige, was er dem Oberleutnant zu sagen hat, wie er eingeliefert wird.

Wir drei haben noch überlegt, was wir tun sollen, aber wir sind uns rasch darüber einig geworden, daß wir schweigen würden; denn wem wäre mit dieser ungeheuerlichen Geschichte gedient gewesen?

Der Gang zur Christmette

Seit wir einigermaßen erwachsen waren, haben wir Weihnachten schon immer am Abend des dreiundzwanzigsten Dezember gefeiert, also um einen Tag zu früh. Wir haben wohl gewußt, daß das eigentlich nicht recht war; und wir waren für unsere Sonderlichkeit auch gestraft genug, denn die wahre Stimmung hat sich nie richtig einstellen wollen. Es ist eben das Geheimnis solcher Feste, daß sie an den Tag und an die Stunde gebunden sind, auf die sie fallen – und Weihnachten gar. Da muß man das große Gefühl haben, daß jetzt in der ganzen Christenheit die Geburt des Herrn begangen wird, daß dies die Heilige Nacht ist, in der überall die Lichter strahlen und die Glocken läuten und in der Millionen Herzen, die sonst wohl kalt und verstockt sein mögen, um den Frieden bitten, den Gott den Menschen verheißen hat, die eines guten Willens sind.

Aber wir sind halt allzu leidenschaftliche Skifahrer gewesen, meine Brüder und ich, und die zwei Feiertage allein haben nicht ausgereicht, auch von München aus nicht, um tief in den Tiroler Bergen, wo es nicht so überlaufen war und wo man sich auf den Schnee hat verlassen können, eine große Gipfelfahrt zu unternehmen. Und eine solche ist unser Weihnachtswunsch gewesen, Jahr um Jahr; sogar mitten im Krieg haben wir daran festgehalten, wenn es uns mit dem Urlaub hinausgegangen ist und schon im Oktober haben wir unsere Pläne geschmiedet und, mit dem Finger auf der Landkarte, die Freuden einer solchen schönen Abfahrt vorgekostet.

Oft freilich ist der Dezember föhnig gewesen und ohne Schnee; dann haben wir daheim bleiben müssen. Aber am dreiundzwanzigsten Dezember haben wir trotzdem gefeiert. Wenn es dann gegen Mitternacht gegangen ist, dann haben wir mehr als einmal ein frevles Spiel getrieben; der eine oder andre ist zum Schein aufgebrochen, um in die Christmette zu gehen. Und einmal ist es meinen Brüdern wirklich gelungen, mich zu übertölpeln und ich habe erst vor den fest verschlossenen Domtüren gemerkt, daß wir allein in der ganzen Stadt das Weihnachtsfest um einen Tag zu früh begangen haben.

In dem Jahr aber, in dem das geschehen ist, was ich jetzt erzählen will, hat es Schnee genug gegeben. In den Bergen ist er schon im November liegen geblieben und in der Woche vor den Feiertagen ist er gefallen, lautlos, in dicken Flocken, schier ohne Aufhören. Fast zuviel Schnee ist es gewesen, zu viel neuer Schnee; und wie wir im Zuge gesessen sind, meine Brüder und ich, am Samstagmittag, hat es noch immer geschneit; wir sind dann gegen Abend in die Kleinbahn umgestiegen, und der Schnee ist weiter gefallen, weiß und still. Eine Abteilung Kaiserjäger ist aus Innsbruck gekommen und hat den Bahnhof ausgeschaufelt; und im frühen Licht der Bogenlampen haben sich wunderliche Berge überall aufgetürmt, rieselnd und glitzernd wie Plättchen von Metall, mächtige Haufen dieses wunderlichsten aller Stoffe, der Luft wie dem Wasser gleich verwandt, so naß wie trocken, so schwer wie leicht und lange noch dem Himmel zugehöriger als der Erde, bis dann doch das Irdische ihn zwingt, seinen Gesetzen zu gehorchen.

Das Züglein ist so recht wie aus einer Spielzeugschachtel gewesen; und ob es mit dem vielen Schnee fertig werden würde, hat ungewiß genug hergesehen. Mühsam ist es in das Zillertal hineingekeucht, die Lokomotive hat gefaucht und gepfiffen, sie hat Rauch und Feuerfunken in die schwere Luft gewirbelt, aber sie hats dann doch geschafft mit Ächzen und Stöhnen.

Draußen ist es schon finster gewesen, aber blaß vom Schnee. In weißen Bauschen ist er auf den Dächern gelegen, jeder Zaun und jeder Pfahl hat eine verwegene Mütze getragen, die Bäume haben geseufzt unter der lockeren Last. Nach Schnee hats gerochen, still ist es gewesen vor lauter Schnee, die Luft hat geschwirrt von Schnee, von unersättlich fallendem Schnee.

Manchmal haben die Lichter eines Dorfes, eines Bahnhofs aus dem Zauberkreis dieses mattglänzenden Nichts geleuchtet, dann sind Bauern in den Zug gestiegen, vermummte Weiber und klirrende Knechte. Sie haben sich geplustert wie die Hennen, sie haben sich das Eis aus den Bärten gewischt und haben alle vom Schnee geredet, vom vielen, vom zu vielen Schnee, wie er seit den neunziger Jahren so nicht mehr gefallen wäre.

Endlich, am späten Abend, sind wir um den Tisch im

Wirtshaus gesessen und haben, bei einem Schöpplein Roten, die Karte vor uns ausgebreitet, noch einmal unsere Bergfahrt überprüft.

Dieses Jahr hat es lange Feiertage gegeben, der Samstag, an dem wir abgefahren sind, ist der zweiundzwanzigste gewesen, morgen, am Sonntag, wollten wir in Hintertaxbach sein, am Dienstag, also am ersten Weihnachtsfeiertage, auf dem Gipfel und von da ins andere Tal hinunter. Am zweiten Feiertage talaus, weit zur Bahn, wo wir noch den letzten Zug erreichen mußten. Und weil die Nacht klar geworden ist und wir ein Anziehen der Kälte zu spüren gemeint haben, sind wir mit der Hoffnung auf Pulverschnee und schönes Wetter eingeschlafen.

Aber am Sonntag früh hat es schon wieder stumm und hartnäckig vom Himmel geschüttet, es ist lauer geworden, der Schnee ist in Klumpen an unsern Brettern gehangen, kein Wachsen hat geholfen. Nach drei Stunden haben wir es einsehen müssen, daß der Schnee zu mächtig gewesen ist, wir sind auf dem ungespurten Weg bis über die Knie eingesunken, auf einem Weg, der im Sommer ein bequemes Sträßchen ist, und auch im Winter sonst eine ausgefahrene glatte Schlittenbahn.

Kein Mensch ist uns begegnet, still ist es gewesen, geisterhaft still. Wir selber haben auch nicht mehr viel geredet, stumm sind wir hintereinander hergestapft, die Landschaft hing weich und weiß unter den warmen Bäuchen des unendlichen Gestöbers, Schnee hat sich uns auf die Wimpern gesetzt, Schnee ist uns in die Augen geflogen, Schnee hat uns jeden Blick verhängt, Schnee ist uns in dem Hals geschmolzen, Schnee hat jede Falte unserer Kleider verklebt, Schnee ist blendend und schmerzhaft aus dem Nichts auf uns zugetrieben, in dem oben und unten, vorn und hinten zaubrisch vertauscht schienen.

Einmal haben wir uns in dem nebeldichten Gestiebe verleiten lassen, eine vermeintliche Schneise hinunterzufahren; wir sind aber in verschneite Felsen und Jungfichten gekommen und ich bin gar in eine Grube gefallen, zwischen die aufwippenden Äste des Dickichts und nun ist der Schnee rings um mich und hoch über mich geflossen, wie Wasser oder wie Sand, und wenn ich auch heute lache in der Erinnerung an mein wildes Dreinschlagen und nach Luft-Schnappen, damals habe ich ein paar atemlose Augenblicke lang das würgende Gefühl gehabt, im Schnee zu ertrinken, und der Schweiß ist mir aus allen Poren geschossen, bis ich wieder, tief schnaufend, fest auf den Beinen gestanden bin. Und lang haben wir gebraucht, um die fünfzig, sechzig Meter verlorener Steigung zurückzugewinnen.

Jedenfalls haben wir eingesehen, daß wir so unser heutiges Ziel nicht erreichen würden und wie, noch vor dem Abenddämmern, ein einsames, armseliges Wirtshaus am Wege gestanden ist, haben wir klein beigegeben und um Nachtlager gefragt.

Eigentlich hätten wir, nach altem Brauch, an diesem dreiundzwanzigsten Dezember unser Weihnachten feiern müssen; aber wir sind verdrossen gewesen wie nach einer verlorenen Schlacht und in der kalten, unfreundlichen Stube hat keine rechte Frömmigkeit aufkommen wollen. So haben wir uns nach einem lahmen Kartenspiel frierend in die winterfeuchten Betten gelegt und auf den nächsten Tag gehofft. Der ist dann wirklich flaumenweich und rosig aufgegangen, die Kälte hat uns früh herausgetrieben, die Welt hat anders ausgeschaut. Tiefblau ist der Himmel geworden, glitzernd weiß ist der Schnee gelegen, wie mit blauen Flämmchen überspielt, als ob er brenne von innen her. Und von den knirschenden Bäumen sind stäubend die kristallenen Massen gerutscht und die befreiten, grünen Äste haben schwarzgrün im goldenen Licht geschaukelt.

Wir sind zeitig aufgebrochen, zügiger als am Tage vorher sind wir gewandert. Und jetzt haben auch Pflug und Schlitten von Ort zu Ort gegriffen und am späten Mittag sind wir, schier unverhofft, in Hintertaxbach gewesen.

Das kleine Dorf, holzbraun, ganz schwarz unter den riesigen Hauben von Schnee, hat sich am Berg hingeduckt, der in steilen, fast waldlosen Randstufen gegen Südwesten das Tal abschließt. Nur das Gasthaus ist stattlicher gewesen und aus Stein gebaut.

Heute stehen steinerne Häuser genug dorten und die wuchtigen roten Postkraftwagen laden zwischen Weihnachten und Ostern ganze Scharen von noblen Sportlern aus, die mit großen Koffern von weither angereist kommen. Aber damals ist Hintertaxbach noch kein Fremdenort gewesen, höchstens ein bescheidenes Bad im Sommer. Im Winter ist es völlig verlassen gewesen, jedenfalls waren wir die einzigen Gäste. Die eigentliche Front des Hauses ist während der toten Zeit dicht geschlossen gewesen, aber der Wirt hat es sich nicht nehmen lassen, uns dreien ein Staatszimmer im ersten Stock einzuräumen. Wenn ich sage Staatszimmer, so meine ich das schon richtig. Es ist nämlich ein heilkräftiges Wasser dort geflossen und in den siebziger Jahren hat es so hergeschaut, als ob man es mit dem weltberühmten Gastein aufnehmen könnte. Und eine Zeitlang ist eine echte Erzherzogin zu Besuch gekommen und hat eine verschollene kaiserlich-königliche Pracht zurückgelassen, die jetzt, im wachsenden Verfall, einen fast gespenstischen Eindruck gemacht hat.

Der Wirt selber hat auf der Rückseite des Hauses gewohnt, behaglich warm in zwei Stuben, aus deren einer uns der bunte Schimmer eines altmodisch und überreich geputzten Christbaumes begrüßt hat. Für die ebenso spärlichen wie sparsamen einheimischen Gäste, die Bauern, Holzknechte und Fuhrleute, hat er eine gemütliche Schenke eingerichtet, in die auch wir uns zu einem späten Mittagessen gesetzt haben, während unser wintermodriges Zimmer gelüftet und geheizt worden ist.

Wir haben dann droben unsre noch immer feuchten Überkleider aufgehängt, die Rucksäcke ausgepackt und es uns so bequem wie möglich gemacht. Denn unsere kühnen Pläne haben wir aufgeben müssen, weil ja doch ein ganzer Tag verloren gewesen ist und weil es auch bei dem vielen Schnee nicht ratsam geschienen hat, über die lawinengefährliche Platte zu gehen. Wir sind bescheiden geworden, höchstens zu der Scharte wollten wir noch aufsteigen, sonst aber für diesmal faul und gemütlich sein und am zweiten Feiertag auf dem Wege zurückkehren, den wir gekommen waren.

Wir sind dann durch den Ort geschlendert, der im frühen Dämmern schon still geworden ist. Vor den Haustüren haben die Bewohner den Schnee weggeschöpft, zwischen den riesigen weißen Hügeln sind von Haus zu Haus Wege gelaufen wie Mausgänge und die Straße ist an mannshohen Mauern bis zum Gasthaus gegangen, dann ist die Welt zu Ende gewesen. Ein richtiges Kirchdorf ist Hintertaxbach nicht, nur eine Kapelle ist zwischen den schwarzbraunen Holzhäusern gestanden, ganz und gar eingeschneit, ein Kirchenkind sozusagen.

Unvermutet sind wir um eine Ecke gegangen und mitten in einen Schwarm spielender Buben und Mädel gestoßen; wie sie uns gesehen haben, sind sie kichernd auseinandergelaufen. Aber ein Bürschlein, von acht Jahren vielleicht, haben wir doch erwischt und das hat sich jetzt zappelnd unter unsern Händen gewunden. Die Kinder haben nicht recht gewußt, ob es Ernst oder Spaß ist, was wir da treiben, sie haben aus der sichern Entfernung neugierig hergeäugt, was wir wohl mit unserm Gefangenen anstellen würden.

Der Knirps ist schnell zutraulich geworden, wie wir ihn mit Schokolade gefüttert haben. Auch die andern haben wieder Schneid gekriegt, und bald sind wir von Kindern umringt gewesen. Sie haben miteinander gewispert und getuschelt und immer wieder eines nach vorn gestoßen, daß es den Wortführer machen soll. Und das eine hat gefragt, woher wir kämen und das andre, ob das wahr ist, daß man mit solchen Brettern, wie wir sie mitgebracht haben, auf den Berg steigen und wieder herunterrutschen kann? Und ein drittes hat ganz keck wissen wollen, ob das stimmt, daß in der Stadt die Häuser so groß sind wie die Berge und die Berge so klein wie die Häuser?

Wir haben ihnen Rede und Antwort gestanden, so gut es gegangen ist, und dann haben auch wir die Kinder ausgefragt, ob das Christkind heut abend kommt und was es wohl Schönes bringt. Aber da haben sie nur verlegen gelacht und das eine hat gesagt, sie hätten ihr Sach schon vom Nikolo gekriegt und ein andres hat eifrig berichtet, daß er ihnen Äpfel und Kletzen in die Schuhe gesteckt hat und wieder eins hat uns eine goldne Nuß gezeigt, die es im Bett gefunden hat. Und ein ganz geschnappiges Dirndl hat uns erzählt, die Mutter hätte gesagt, daß das Christkindl nur dort hinflöge, wo ein Baum stünde und einen Baum hätte nur der Wirt. Wir haben also die Wahrheit aus erster Quelle erfahren, daß tief in den Bergen, wo alles erst später hinkommt, das Gute wie das Schlechte, der Christbaum bis in die jüngste Zeit noch nicht Brauch gewesen ist.

Wir fragen die Kinder, ob sie ein Weihnachtslied singen können, aber sie kichern bloß; wir helfen ihnen drauf; ob sie in der Schule oder daheim nicht was gelernt haben, vom

Stall in Bethlehem und vom Stern, von den Hirten oder den Heiligen Drei Königen. Sie winden sich geschämig und eins versteckt sich hinterm andern. Und schließlich sagt die Geschnappige: Ja, singen könnten sie schon.

Also, sagen wir, dann singen wir am Abend, und wer mittun mag, darf nach dem Gebetläuten in die Wirtsstube kommen und vielleicht bringt doch das Christkindl noch was, wenn sie alle schön brav sind. Die Kinder geben keine Antwort, sie drucksen an einem verlegenen Lachen herum und verschwinden in den Häusern. Es ist inzwischen völlig Nacht geworden, die Sterne sind aufgegangen, kalt, hoch und klar ist der Himmel gestanden nach all den wolkigen Tagen. Im ganzen Dorf ist kein Laut zu hören gewesen, und wenn nicht da und dort ein winziges Viereck geleuchtet hätte, wären wir ganz aus der Menschenwelt gewesen, mitten in dem ungeheuren Schweigen der starrenden Berge. Wir haben uns dann in die Wirtsstube gesetzt, haben gegessen und getrunken, wie man so nur im alten Österreich essen und trinken kann, heiß von der Pfanne und kühl aus dem Keller, wir haben gescherzt darüber, daß wir jetzt doch einmal Weihnachten am vierundzwanzigsten feiern, wie es sich gehört. Und der Wirt ist bei uns gesessen, ein verständiger alter Mann, wir sind ins Reden gekommen und haben eigentlich nicht mehr daran gedacht, daß die Kinder wirklich noch erscheinen würden. Aber auf einmal ist die Tür aufgegangen und die Kinder sind hereinspaziert, sechse, sieben oder acht, im Gänsemarsch, voran der Knirps, den wir am Nachmittag gefangen haben. »Jetzt samma da!« sagt er und pflanzt sich erwartungsvoll vor uns auf...

Der Glaube von Kindern ist unbestechlich und es ist eine üble Sache, ihnen nicht zu halten, was man versprochen hat. Die Verlegenheit ist an uns gewesen, wir haben uns da selber, wie mein ältester Bruder lachend gemeint hat, eine rechte Bescherung eingebrockt, denn es ist gar nicht so leicht, mit einem halben Dutzend Bauernkinder was anzufangen, für Zwanzigjährige gar. Sie sind, Mädel und Buben, stumm auf der Bank gesessen und haben uns angeschaut wie die Schwalben. Es ist aber dann doch alles besser gegangen, als wir gedacht haben. Wir haben alle Süßigkeiten geholt, die wir dabei gehabt haben, ein Päckchen Kakao ist auch dabei gewesen. Milch hats genug gegeben; und vor den dampfenden Tassen sind die Kinder immer munterer geworden. Wir haben ihnen Geschichten vom Christkind erzählt, so gut wir es gewußt haben – und haben, beschämt genug, gemerkt, wie arm der Verstand der Verständigen vor einem Kindergemüt doch ist. Aber dann haben wir ein paar bewährte, unfehlbare Zauberstücklein zum Besten gegeben, die auf den Handrücken gelegte und heimlich in die Haut geklemmte Zündholzschachtel, die geisterhaft auf und niedersteigt, das Geheimnis mit dem ausgerissenen und wieder anwachsenden Daumen, das jeder erfahrene Onkel kennt, und die mit zahnlosen Kiefern Brot mulfernde alte Frau, dargestellt durch die bloße Hand, der ein umgebundenes Taschentuch und ein mit einem verkohlten Hölzchen aufgemaltes Auge in der Tat ein beängstigendes Aussehen verleiht.

Immer mutiger sind die Kinder geworden, immer gesprächiger, immer seliger. Sie haben fest geglaubt, daß wir echte Zauberer sind, und wir haben uns durch ihre Begeisterung zu immer verwegeneren Künsten verleiten lassen, bis wir selber gespürt haben, daß es hohe Zeit ist, wieder in die Frömmigkeit des Weihnachtsabends umzustimmen. Von unsern Spielen verlockt, sind auch ein paar Knechte und Mägde aus dem Haus in die Stube gekommen, der Wirt selber ist ja ein einschichtiger Mann gewesen, ohne Frau und Kinder. Er hat drüben den Baum angezündet, wir sind hinübergegangen, ich habe meine Querpfeife mitgebracht und mein Bruder hat die verstaubte Guitarre gestimmt. Mit dem Singen freilich ist es zuerst nicht viel gewesen, weil die Kinder herkömmliche Lieder nicht gekonnt haben; aber in dem Lichterschein ist es dann doch ein inniges Musizieren geworden und zum Schluß haben sich gar der Wirt und die Köchin als Sänger alter Tiroler Weisen gezeigt, so daß jetzt wir Städter die Beschenkten gewesen sind. Sie haben vom König David gesungen und seiner Weissagung, vom bösen Herodes und von den Hirten auf dem Feld, vom Kasper, Melchior und Balthasar, ich hab mir nur ein paar Bruchstücke merken können, vom frohen Getümmel, Schalmeien vom Himmel und daß die Hirten schon gemeint haben, ganz Bethlehem brennt, so stark ist der Schein gewesen und der Braus in der heiligen Nacht. Die Lieder sind hundert Jahre alt gewesen und älter, von Mund zu Mund sind sie gegangen und wie sie jetzt erklungen sind, von den zwei alten, brüchigen Stimmen, aber herzhaft und ohne Fehl, vor den Kindern und Kerzen, in der großen Bergstille, das ist schön gewesen und ich schäme mich nicht zu sagen, rührselig, denn das ist ein gutes Wort und erst wir haben es zu einem schlechten gemacht.

So pünktlich, wie er sie gebracht hat, hat unser Knirps seine Schar wieder fortgeführt. Jeder hat jedem Kind die Hand gegeben, sie sind, wieder im Gänsemarsch, hinausgetrippelt, ohne Dank und fast ohne Gruß, aber mit einem unvergeßlichen Leuchten in den Augen.

Der Seppei, sagt der Wirt, wie sie gegangen sind, wär ein armes Bürscherl, die Lahn hätte ihm vor drei Jahren den Vater verschüttet. Das ganze Häusl, sagt er, hätte der Schnee begraben, drei, vier Meter hoch wär die Grundlawine gewesen. Die Mutter wäre mit dem Buben grade im Geißenstall gewesen, und den hätte der Schnee ganz aufgehoben und auf den Rücken genommen und fast sanft an die zwanzig Meter ins Tal hinausgetragen.

Wir sind in die Gaststube zurück und haben uns noch eine Weile über den Schnee unterhalten, der Wirt, nur noch flüchtig am Tisch stehend, hat uns erzählt, wie schier Jahr um Jahr die Lawinen sich ihre Opfer holen, die kleinen Holzhäuser und Ställe überrennend, Fuhrleute mit Roß und Wagen in die Tobel reißend, im Auswärts gar, wenn die Berge in Aufruhr kommen und die schweren Schlaglawinen niederbrechen und sich rauschend und polternd bis in die Gassen des Dorfes wälzen.

Ein Wort hat das andre gegeben, wir haben auch noch allerhand Erlebnisse berichtet, von Schneebrettern und Eisbrüchen, lauter Dingen, die scheußlich zu erleben sind, aber gut zu erzählen, wenn man noch einmal davongekommen ist. Und zum Schluß haben wir den Wirt, der nur mit halbem Ohr zugehört hat, gefragt, ob er, seiner Erfahrung nach, auch jetzt, im Frühwinter, eine Lawine für möglich halte. Der Wirt schüttelt den Kopf und sagt: Ausgeschlossen! Und: ausgeschlossen nicht, sagt er gleich darauf, gar nicht ausgeschlossen, im Gegenteil, wahrscheinlich sogar bei dem vielen lockeren Schnee und der Kälte obendrein. Bis ins Dorf hinein wird wohl keine kommen. Aber, sagt er, und rundet das Gespräch mit einem Scherz ab, bei Weibern und anderen Naturgewalten weiß man nie, was sie vorhaben. Und, eine gute Nacht wünschend, fragt er, mehr beiläufig, ob die Herren vielleicht mit in die Christmette gehen möchten, nach Kaltenbrunn. Um halb elf Uhr würde aufgebrochen, denn eine Stunde Wegs müßte man bei dem Schnee rechnen. Ein Winterabend ist lang, wenn man sich um fünf Uhr schon an den Tisch setzt; und so ist es jetzt auf neun gegangen. Ich bin, wie das oft so geht, auf einmal bleiern müde gewesen. Meine Brüder haben nach kurzem Zögern zugesagt, sie haben die anderthalb Stunden noch aufbleiben wollen und wie ich mich nun angeschickt habe, hinaufzugehen, um mich schlafen zu legen, haben sie mich einen Schwächling gescholten und einen faden Kerl, der keinen Sinn für Poesie hat. Beinahe hätten sie mich noch umgestimmt. Ich habe, einen seligen Augenblick lang, das liebliche Bild wie im Traum vor mir aufsteigen sehen, die Mitternacht im Schnee, das honigsüße Kerzenlicht, den Orgelbraus des Gloria und die vielen Wanderer auf dem Wege, Bauern aus allen Weilern und Einöden, heute so fromm wie die Hirten vor zweitausend Jahren. Aber der Teufel muß mich geritten haben in der gleichen Sekunde, ich habe nein gesagt, und um meiner Ablehnung einen scherzhaften Ton zu geben, sage ich, daß ich heute daheim bleiben will, für damals, wo sie mich vor die versperrte Kirchentür gesprengt haben. Und meinen Schutzengel, sag ich, will ich ihnen mitgeben, zum Schlafen brauch ich ihn nicht und es ist dann einer mehr zum Hallelujasingen.

Vielleicht hätten meine Brüder gelacht und das lästerliche Wort wäre so ohne Wirkung geblieben, wie es im Grunde gemeint war. Aber der Wirt hat einen roten Kopf gekriegt, er hat ein feindseliges Gesicht gemacht und hat nachdrücklich gesagt, daß der Herr seinen Schutzengel so leichtsinnig in Urlaub schicke, möchte ihn am Ende gereuen. Halten zu Gnaden, sagt er, aber so was höre er ungern. Und ist ohne Gruß hinausgegangen. Nun ist die Stimmung verdorben gewesen und wie ich jetzt, als Säckelmeister, unwirsch die Kellnerin rufe, um zu zahlen, erhebt keiner Einspruch. Sie lassen mich gehen, ohne Vorwurf, aber auch ohne Trost; und daß ich dem alten Mann innerlich recht geben muß, daß ich selber nicht weiß, warum ich so dumm dahergeredet habe, ist bitter genug, um mir das Herz bis zum Rande zu füllen.

Ich bin droben noch eine Weile in der Finsternis am offenen Fenster gestanden und habe mit mir gehadert. Die stille, heilige Nacht hat über dem lautlosen Tal gefunkelt, ein Licht, das von den Sternen gekommen ist, hat die weißen Tafeln des beglänzten Schnees und die bläulichen Schatten der Dunkelheit mit einem wunderlichen Feuer umspielt und ich habe, wie es in seltenen Augenblicken geschieht, durch die Landschaft hindurch weit in mein Leben und ins Wandern der Planeten gespäht, viele Gestalten, verhüllt und schwer zu deuten, haben mich mit Traumesgewalt sprachlos angeschaut und der Himmel hat mir erlaubt, das törichte und vermessene Wort zu vergessen. Ich bin dann versucht gewesen, doch noch hinunterzugehen und zu sagen, daß ich mitkommen wollte in die Christmette. Aber ich habe den Mut zu dem ersten, schweren Schritt nicht gefunden und das Gute ist ungetan geblieben, wie es oft ungetan bleibt im Leben.

Es ist gewesen, als wäre ein Sausen in den Sternen, aber es hat wohl nur der Schnee leise gebraust und gesotten, der die Luft ausgestoßen und sich gesetzt hat. Morgen würde ein strahlender Tag werden.

Ich habe das Fenster geschlossen und das Licht angedreht, ich habe mich ausgezogen und in eins der großen, wiegenden Betten gelegt. Und noch einmal hat es mich getrieben, wieder aufzustehen und mitzupilgern zur Mitternachtsmesse. Aber ich habe trotzig das Licht gelöscht. Zuletzt habe ich noch die Berge gesehen, steil und schwarzdrohend im Viereck des Fensters. Ich habe weinen wollen, nachträglich, wie ein gescholtenes Kind, aber da bin ich schon eingeschlafen.

Eiskalt rührt es mich an; traumtrunken haue ich um mich: Blödsinn! will ich lallen, aus tiefem Schlaf tauche ich rasend schnell empor. Die Brüder, denke ich, Schnee, rohe Bande! Und ehe ich wach bin, höre ich rumpelnden Lärm, das sind die Brüder nicht! Das Fenster klirrt, ein Stoß geht durchs Haus, ein Schwanken und Fallen, ein Knistern und Fauchen. Ein geisterhaft weißer Hauch schießt herein, kein Hauch mehr, ein knatterndes Vorhangtuch, Sturm. Die Fenster platzen auf. Sturm, denke ich, noch immer nicht wach, Schneesturm? Aber da peitscht es schon herein, wilde, weiße, wogende Flut: Schnee – Schnee! Ins Zimmer, ins Bett, ins Hemd, ins Gesicht, in die Augen, in den Mund – ich schreie, ich fahre auf, ich wehre mich. Und jetzt erst, wo es wie mit nassen Handtüchern auf mich einschlägt, begreife ich: Die

Lawine! Im gleichen Augenblick ist es auch schon vorbei. Nur noch ein Seufzen geht durch das Zimmer, es ist, als schwände eine weiße, wehende Gestalt. Von drunten höre ich es dumpf poltern, und noch einmal bebt und ächzt das Haus. Dann ist es dunkel und still.

Ich bin jetzt ganz wach. Eine heiße Quelle von Angst schießt aus mir heraus. Ich habe das Gefühl, als ob bärenstarke Männer auf meiner Brust knieten und mich an Armen und Beinen hielten. Ich versuche, mich loszureißen, ich bekomme eine Hand frei, ich wische mir übers Gesicht, ich spucke den Schnee aus dem Mund. Ich bin völlig durchnäßt, ich schlottre vor Kälte und glühe zugleich vor Anstrengung, mich aus der Umklammerung dieser unbarmherzigen Fäuste zu befreien. Es gelingt, Glied um Glied, der linke Fuß ist wie in Gips eingeschlossen, ich zerre ihn mit beiden Händen heraus, des Schmerzes nicht achtend. Ich krieche aus dem Bett, ich tappe im Finstern, mit bloßen Füßen. Ich taste die Gegenstände ab, mit unbeholfenen, erstarrenden Händen, aber die Unordnung verwirrt mich noch mehr, ich kenne mich überhaupt nicht mehr aus; es ist für einen Schlaftrunkenen in einem vertrauten Raum schon schwer, Richtung zu halten, aber hier erst, zwischen umgestürzten Stühlen und queren Tischen, eingemauert im Eis, mit nackten Füßen im zerworfenen, glasharten Schnee! Natürlich habe ich den Lichtschalter gesucht, aber es ist eine sinnlose Sucherei, ich werde immer kopfloser.

Ich nehme mich plötzlich zusammen, ich sage laut vor mich hin: Nur Ruhe! und jetzt finde ich den Lichtschalter wirklich. Ich drehe ihn mit klammen Fingern, aber es ist vergebens. Es bleibt stockdunkel. Ich kämpfe meine Erregung nieder. Ich werde doch zum Teufel eine Zündholzschachtel auftreiben. In der Rocktasche ist eine, im Rucksack. Ich wandre also wieder im Zimmer herum, meine Füße schmerzen mich, es ist nirgends ein trockenes Plätzchen zu ertasten. Aber auch nirgends die Spur von einem Kleidungsstück oder von einem der drei Rucksäcke.

Aber den Türgriff habe ich unvermutet in der Hand. Ich drücke ihn nieder, ich rucke und reiße. Oben geht wippend ein Spalt auf, aber unten weicht die Tür nicht einen Zoll. Ich fange an, scheußlich zu frieren, ich kann kaum noch stehen. Aber es ist wenigstens nicht mehr so undurchdringlich finster, die Augen gewöhnen sich an die Nacht, ich sehe gegen das matte Viereck des Fensters den graugeballten Schnee und die schwärzlichen Umrisse der durcheinandergeworfenen Möbel. Ich stolpere also gegen den blassen Schein, und schon fahre ich mit der ausgestreckten Hand in die Glasscherben. Ich blute. Ich heule aus Verzweiflung, so herumzulaufen, wie ein blinder Maulwurf. Und mit einem Mal wird mir klar, daß meine Lage weit ernster sein kann, als ich bedacht habe. Ich weiß ja nicht, wieviel Uhr es ist. Es kann elf Uhr sein und die andern sind ahnungslos auf dem Wege in die Mette. Oder ist es schon gegen Morgen – und die Lawine hat die Heimkehrenden in der Gaststube drunten überrascht, und sie sind schon tot, während ich hier oben auf ihre Hilfe warte?

Ich überlege, ob ich schreien soll. Es hat wohl keinen Sinn. Wenn die Lawine niemand wahrgenommen hat, dann hört auch keiner mein Rufen. Aber ich will doch nichts unversucht lassen. So wunderlich es klingen mag, ich muß erst eine drosselnde Beschämung überwinden, ehe ich mich richtig zu schreien getraue. Dann tut es freilich gut, die eigene Stimme zu hören. Ich rufe sechsmal, wie es die Vorschrift ist; dann schweige ich und horche . . . Lautlose, schwarze Stille. Der Vers fällt mir ein und geht mir nicht aus dem Kopf: »Wie weit er auch die Stimme schickt, nichts Lebendes wird hier erblickt!« Das ganze Gedicht rast in wirbelnden Fetzen durch mein Hirn, ich ärgere mich über den Blödsinn, es nützt nichts: »So muß ich hier verlassen sterben.« Ich bin nahe am Weinen und lache zugleich, ich setze zu neuem Rufen an – da höre ich irgendwo aus dem Hause eine Uhr schlagen.

Nie habe ich so bang auf einen Uhrenschlag gelauscht: Eins, zwei, drei – vier! Und dann voller und tiefer: Eins – zwei . . .

Und jetzt vernehme ich rufende Stimmen und sehe den huschenden Schein von Laternen draußen über den Schnee gehen. Meine Brüder haben mir später erzählt, daß ich immer wieder gebrüllt hätte: »Eine Lawine, eine Lawine!« – als ob sie es nicht selber gesehen hätten, was geschehen war.

Sie sind dann von rückwärts ins Haus gedrungen und haben die Tür eingeschlagen. Ich habe meinen älteren Bruder noch mit erschrockenem Gesicht auf mich zukommen gesehen, dann hat mich das Bewußtsein verlassen.

Wie ich wieder aufgewacht bin, da bin ich auf den Kissen

und Decken in der Stube des Wirts gelegen und am Christbaum haben die Kerzen gebrannt. Das ist freilich nur so gewesen, weil das Licht nicht gegangen ist, aber für mich hat es doch eine tiefe und feierliche Bedeutung gehabt. Meine Brüder sind besorgt und doch lächelnd dagestanden und jetzt ist auch der Wirt mit einem Krug heißen Weins gekommen, ich habe wortlos getrunken und bin gleich wieder eingeschlafen.

Am Vormittag bin ich dann überraschend munter gewesen, nur meine Füße haben mir wehgetan und die Hand, die ich mir mit den Glasscherben zerschnitten habe. Ich bin in allerhand drollige Kleidungsstücke gesteckt worden und wir haben lachen müssen über meinen wunderlichen Aufzug. Meine eigenen Sachen sind noch im Schnee vergraben gewesen. Beim Frühstück, das zugleich unser Mittagessen war, denn es ist schon spät gewesen, ist es dann ans Erzählen gegangen. Ich habe zu meiner Überraschung gehört, daß zwischen dem Losbruch der Lawine und der Heimkehr meiner Brüder kaum mehr als eine Viertelstunde gelegen ist. Die Pilger haben, fast schon bei den ersten Häusern des Dorfes, einen wehenden Schein gesehen und später noch ein dumpfes Poltern gehört. Sie haben daraufhin wohl ihre Schritte beschleunigt, aber keiner, auch der Wirt nicht, hat sich denken können, daß die Lawine so stark gewesen ist, wie sich nachher gezeigt hat.

Nach dem Essen haben wir die Verwüstungen angeschaut, die die Staublawine angerichtet hat. Im Erdgeschoß sind die Räume gemauert voll Schnee gestanden. Vom Gesinde, das hier schläft, wäre nicht einer lebend davongekommen. Sie sind aber alle in der Christmette gewesen. Im ersten Stock waren die Fenster eingedrückt, oft mitsamt den Fensterstöcken. In manche Zimmer hat man bloß von außen mit einer Leiter einsteigen können. Der Schnee, der leichte Schnee, der wie ein Geisterhauch hingeweht ist, jetzt ist er zu Eis gepreßt gewesen, der Luftdruck hat ihn mit Gewalt in alle Winkel geworfen.

Wir haben von dem geschwiegen, was uns zu innerst bewegt hat. Wir haben sogar gescherzt, wie wir unsre Kleider und unsre Habseligkeiten aus dem Schnee gescharrt haben, soweit sie noch zu finden waren, oft genug an entlegenen Orten. Am Nachmittag sind wir talaus gewandert, der Wirt war in seinen Räumen beschränkt, ihm ist nur die leidlich erhaltne Rückfront seines Hauses geblieben.

Wie wir zu ihm getreten sind, um nach unserer Schuldigkeit zu fragen, und um Abschied von ihm zu nehmen, hat er grad eine Scheibe in den Rahmen gekittet. Er hat angestrengt auf seine Arbeit geblickt, wohl nur, damit er mich nicht noch einmal hat anschauen müssen. Fürs Übernachten, sagte er mit brummigem Humor, könnte er billigerweise nicht was verlangen, denn übernachtet hätten wir ja wohl nicht, Aber wenn einer der Herren einen Stutzen Geld übrig hätte, könnte er gern was in den Opferstock von Kaltenbrunn legen, zum Dank, daß der Herrgott in der Christnacht so viele Engel unterwegs gehabt hätte: ein gewöhnlicher Schutzengel hätte vielleicht nicht genügt diesmal.

Er ist weggegangen, ehe wir ihm die Hand geben konnten. Am Abend sind wir in Kaltenbrunn gewesen und haben uns für die Nacht einquartiert. Die Kirche ist hoch über dem Dorf gestanden, kaum hat sich die weiße Wand vom weißen Schnee abgehoben in der Finsternis. Aber die Glocken haben gerade den Feierabend eingeläutet. Ich bin die hundert Stufen hinaufgestiegen und habe den Mesner gesucht; aber er ist nirgends zu finden gewesen, die Glocken waren still.

Da bin ich wieder wie damals vor Jahren an der verschlossenen Kirchentür gestanden; freilich nicht einen Tag zu früh, sondern einen Tag zu spät. Und doch inbrünstig diesmal vor der Gnade, daß ich so habe stehen dürfen und daß es nicht zu spät gewesen ist für immer.

Der junge Mann, genauer gesagt, der dreißigjährige, sogar ganz genau, denn heute hatte er seinen Geburtstag, ging an einem reinen Frühsommerabend des Jahres neunzehnhundertdreiundzwanzig durch die große Stadt. Er trug einen grauen Anzug mit einem leicht hineingewobenen grünen Muster, einen dieser feschen Anzüge, an die man sich wohl noch als Greis gern erinnert, wahrscheinlich nur, weil die schönen Jugendjahre mit in die Fäden geschlungen sind; er hatte ein rundes Hütlein auf, nach Art der Maler und Dichter – und so was wird er schon gewesen sein – und wippte ein Stöckchen, wie es damals, bald nach dem ersten Krieg, Mode war, schon ein bißchen lächerlich und stutzerhaft, aber nicht so völlig unmöglich, wie es heute wäre, kurz nach dem zweiten Weltkrieg und vielleicht nicht zu lang vor dem dritten, mit einem Spazierstöckchen herumzulaufen aus Pfefferrohr mit einem Griff aus Elfenbein.

Der also wohlgekleidete Herr war fröhlich, nicht immer, gewiß nicht, er konnte unvermutet voll schwärzester Schwermut werden, aber jetzt, bei seiner Abendwanderung, die Maximilianstraße hinauf, gegen den Fluß zu, war er vergnügt, denn zu Freunden ging er ja, und nichts geringeres hatte er vor, als mit ihnen, in der kleinen Wohnung hoch über der Isar, seinen Geburtstag zu feiern, lustig und wohl auch üppig, an der tollen Zeit gemessen, in der die Mark davonschwamm in einem Hochwasser, in dem alles dahintrieb, in dem jeder unterging, der sich nicht zu rühren verstand und sich tragen ließ.

Morgen konnte auch er untergehen, aber heute hatte ihn die Flut getragen, wunderlich hatte sie ihn hinaufgehoben. Zwanzig Schweizerfranken war er am Morgen wechseln gegangen, ein Freund aus Bern hatte sie ihm geschickt. Die Taschen voller Papiergeld, hatte er zuerst den böhmischen Schneider bezahlt, den buckligen Verfertiger des flotten grauen Anzugs, den er trug. Dann hatte er noch ein Paar Schuhe gekauft, die jetzt neu an seinen Füßen glänzten; Zigarren hatte er besorgt, Schokolade, zwei Flaschen Schnaps. Und mittags, als er nach Hause kam, waren ein paar Leute beisammengestanden um einen blassen, ausländischen Burschen, der vier Dollar anbot und keinen Käufer fand. Wahrhaftig, mit dem Rest seines Geldes hatte er die vier Dollar erworben, der Jüngling aus Serbien oder Rumänien war mindestens drei Tage hinter der Weltgeschichte zurückgeblieben gewesen. Seine Schuld – *er* hatte ihm ja gegeben, was er verlangt hatte.

Alles geschenkt, Anzug, Schuhe – heute. Morgen vielleicht alles genommen, alles verspielt, bis eines Tages doch der ganze Wirbel ein Ende nehmen mußte, wie alles ein Ende nimmt, wenn man nur Zeit und Geduld hat, es abzuwarten.

Wie hätte der junge Mann wissen sollen, damals, daß der erste Zusammenbruch so viel schöner war als der zweite, den er erleben würde, nicht mehr jung und unbekümmert, nein, als Fünfziger, mit ergrauendem Haar und ohne Hoffnung; daß es nur die Hauptprobe war zu einer schrecklichen Uraufführung – oder sollte auch das erst das Vorspiel sein zu dem Schauer- und Rührstück: »Weltuntergang«, das zu spielen, bis zum schrecklichen Posaunen- oder Schweigensende zu spielen, der Menschheit von Anbeginn an vorbehalten ist, aber niemand weiß, wann es über die Bühne geht.

Jedenfalls, der junge Mann bummelte dahin, die Maximilianstraße bauchte sich aus zu einer grünen und rötlichen Anlage; grün waren die Beete und die Bäume, rötlich die steifen, spitzbogigen Paläste, und grün und rötlich waren auch die Kastanienbäume, lachsrot all die tausend Kerzen; und weiß und rötlich war das Pflaster, der Asphalt, an sich war er grau und rauh wie Elefantenhaut, aber die Blüten, die abgefallenen, winzigen Löwenhäuptchen, bedeckten ihn, daß der Fuß im Schuh das Weiche spürte, es war ein glückliches Gehen in dem Schaum und Flaum, die Weichheit des Fleisches war darin und fleischfarben war ja auch dieser Schimmer, die ganze Straße entlang.

Die Sonne war im Rücken des Schreitenden, von hinten her schäumte das Licht, vor ihm, hoch überm Fluß, funkelten die Strahlen in den Fenstern des Maximilianeums – den Zungenschlag könnte einer kriegen bei dem Wort, dachte der Mann, es flog ihm nur kurz durch den Kopf, wie eines der Blütenblätter, die vorbeiwehten, an sich dachte er an etwas anderes und an was hätte er denken sollen, an was sonst an diesem Frühsommerabend, als an Frauen?

Denn Frauen auch wehten an ihm vorbei, Mädchen, in leichten und bunten Gewändern, sie kamen ihm entgegen, von der Sonne angeleuchtet, lichtübergossen; und wenn er sich umwandte, sah er ihre Beine durch das dünne Gewebe der Kleider schimmern, schattenhaft leise; das Erregende, die sinnliche Glut gab erst sein Blick dazu, die Begierde seiner Augen, der er sich ein wenig schämte und die er doch genoß, während er sich selbst ausschalt: eitel, lüstern, gewöhnlich. Zwanzig Jahre später, wir wissens, er wußte es nicht, wird er wieder, oder: noch immer durch die Maximilianstraße gehen, viele gehen dann nicht mehr, die jetzt noch dahin eilen durch den glücklichen Abend und nach den Füßen der Weiber schielt keiner mehr, selbst die Jungen kaum, andre Dinge haben sie im Kopf, auf die Trümmer der geborstenen Häuser schauen sie, die zum erstenmal im unbarmherzigen Licht stehen, auf die ratternden Panzerwagen der Sieger, die von weit drüben gekommen sind, übers Meer, aus fremden Städten und die bald in München satter und fröhlicher daheim sein werden als die Münchner selber, die nur noch am Rande leben, hohläugige Schatten. Und sie erinnern sich, dann, im Jahr fünfundvierzig, daß, ein halbes Jahr früher, als noch der Schnee lag, zerlumpte Gestalten hier an offenen Feuern saßen, um die Weihnachtszeit, wie die Hirten auf dem Felde, in der Schuttwüstenei, Russen, Mongolen, Tataren – wunderlich, höchst wunderlich, in dem gemütlichen München... Aber getrost, an die Amerikaner wird man sich gewöhnen, man wird kaum aufblicken, wenn sie nun vorüberfahren, nicht mehr in rollenden Panzern, sondern in schweren, blechblitzenden Wagen; und die Russen sind nicht mehr da, die gefangenen Russen, schon lange nicht mehr, aber sie stehen als eine drohende Wolke im Osten und darüber, ob sie kommen, oder ob sie nicht kommen, werden die Menschen reden, fahl vor Angst und hungrig und matt, wie sie sind; sie werden nicht viel Lust haben, nach Frauen auszuspähen, die Jungen nicht und die Älteren erst recht nicht. Und die Zeit wird weiterwuchern, die Menschen werden morgen vergessen, woran sie sich eben erst schaudernd gewöhnten, durch den Urwald der Jahre werden sie gehen, und was der Dreißigjährige mit siebzig Jahren denken wird, das kann noch niemand sagen; und nur ein später Leser dieser Geschichte mag es noch hinzufügen, mit Lächeln vielleicht, wenn er noch lächeln kann.

An Frauen also dachte der Mann, und mit Lust obendrein, denn was mag schöner sein, als zu Freunden zu gehen, in Erwartung eines heiteren Abends, und im Herzen süße Gedanken zu schaukeln an eine Geliebte, oder, sagen wir es genauer, an diese und jene, die es vielleicht werden könnte für die nächste Zeit oder für immer.

Der Mann war jetzt am Fluß angekommen, an der Isar, die sich unter dem Joch der schönen Brücke zwängte und dann weiß schäumend, kristallklar über eine Stufe hinunterstürzte, halb im Schatten schon und vom Licht verlassen und die dann weiterzog, grün im Grünen, edlen und harten Wassers, noch einmal ins Helle hinaus, unter dem lavendelblauen, ja, fast weißen, rahmfetten Himmel hin.

Er stellte sich an die Brüstung, er schaute hinab auf den tosenden Fall, wie die Flut zuerst Zöpfe flocht und Schrauben drehte, alles aus Glas, das dann zerbrach, am Stein zerhackt, übereinander in Scherben stürzend, zu Dampf zermahlen, in Fäden triefend, von Luft schäumend aufgeworfen, bis es wieder hinausstieß, wie Tafeln Eises zuerst aneinandergeschlagen, zuletzt aber glatt, wie in kalten Feuern geschmolzen, in einer großen Begier des Fließens.

Das Wasser macht die Traurigen froh und die Fröhlichen traurig, mit der gleichen ziehenden Gewalt, mit dem Murmeln derselben Gebete und Beschwörungen; und der Mann, der ja leichten Herzens gewesen war, spürte das, wie er immer schwerer wurde; und da er unterm Betrachten des Wasserfalls nicht aufgehört hatte, an Frauen zu denken, so wurden seine Gedanken an Frauen dunkler, es schwand ihm die kühne Zuversicht, der Wille löste sich auf, zu werben und zu besitzen, laß fahren dahin, dachte er und gab so die Liebe selber dem Wasser preis und schickte sie hinab in das Vergängliche.

Sobald er den Blick wieder abwandte vom Rinnenden, erholte sich sein Gemüt, in den Sinn kams ihm, wie gut er hier stand, an der nobelsten Stelle von ganz München, und in bester Laune bog er nun in die Uferstraße ein, unterm schon dämmernden Dach der Ahornbäume schritt er dahin, mehr nun der Männer gedenkend als der Frauen, die Freunde vorschmeckend und ihre Heiterkeit, den Wein auf der Zunge spürend, übermütig spielend mit der Voraussicht, daß sie den Doktor, den Wirt, ein zweites, ein drittesmal gar in den Keller hinuntersprengen wollten, damit er, von ihren Spottreden gestachelt, mit saurer werdender Miene immer süßeren Tropfen heraufhole, mühsam genug, bis hoch unters Dach, wo sie sitzen wollten und zechen, bis die Sterne bleicher würden . . .

Der Dreißigjährige wippte jetzt wieder sein Stöckchen, er ging tänzerleicht und an und ab schaute er auf den Boden, kindisch vor sich hin pfeifend. Da sah er ein glänzendes Ding liegen, bestaubt, aber doch von opalnem Schimmer. Sieh da, sagte er halblaut zu sich selber, welch ein Glück, eine Perle zu finden. Die Reichtümer Indiens legen sich mir zu Füßen.

Die Perle war groß wie ein Kirschkern, eher noch größer, wie eine Haselnuß, rund ohne Fehl. Kunststück, dachte er, mit dem Wort spielend, Kunst-Stück, Gablonzer Ware, Wachsperle, Glasfluß, was weiß ich . . . Und er setzte sein Stöckchen dran, es bog sich leicht durch und eh er sichs versah, flog die Perle, von der Schnellkraft des Rohres getroffen, in einem einzigen flachen Bogen davon, an den Ranken des wilden Weins vorbei, die dort in den Fluß hinunterhingen, hinaus ins Wasser.

Der Mann lachte, über solch unfreiwillige Golfmeisterschaft belustigt, er wünschte den Isarnixen Glück zu dem zweifelhaften Geschenk, sie solltens hinuntertragen bis zur Frau Donau, wenn sie sich nicht derweilen schon selbst im Wasser auflöste, die falsche Perle, die nun dahintreiben mochte zwischen Wellensmaragd und Katzengold, unecht, trügerisch alles miteinander, in bester Gesellschaft.

Er war nun auf der Höhe des Hauses angekommen, aber viel zu früh noch, wie ihm ein Blick auf die Uhr bewies, und so hatte er noch Zeit genug, in die Isar zu schauen, bis die andern kamen, er mußte sie ja sehen auf der noch hellen, fast leeren Straße.

An Frauen zu denken, lag heute wohl in der Luft und so wob auch er schon wieder an der alten Traumschnur, aber die Perle knüpfte er mit hinein, ein geübter, bunter Träumer, wie ers war, viele Perlen und je länger er ins Fließende sah, kamen auch Tränen dazu, süße und bittere.

Wenn das Ding nicht so unglaubwürdig groß und ohne Makel gewesen wäre . . . Der erste Zweifel probte seinen Zahn an ihm: Ist da nicht neulich erst etwas in der Zeitung gestanden, von einem Platinarmband, das ein Arbeiter gefunden hat? Lachend hat ers für ein paar Zigaretten hergegeben. Wenn so was echt wäre, hat er gemeint, müßts ja hunderttausend Goldmark wert sein – also ists falsch: eine großartige Logik. Hat nicht Mazarin, der spätere Kardinal, kalten Herzens einem armen Amtsbruder einen kostbaren Schmuck für einen Pappenstiel abgehandelt? »Glas natürlich, mein Lieber, was denn sonst als Glas?« Und hat er, der Perlenfinder, nicht selbst ein riesiges Goldstück in der Tasche herumgetragen, wochenlang, und es aus Jux als Hundertmarkstück hergezeigt, bis es ihm ein Kenner als echte Schaumünze erklärt – und dann für einen Haufen Papiergeld abgedrückt hat?

Der Zweifel hatte sich durchgebissen. Das Blut schoß dem Mann in heißer Welle hoch: Die Perle war echt, sie konnte echt gewesen sein.

Natürlich waren das lächerliche Hirngespinste. Tatata! Er mußte ja wohl nicht gleich mit allen Neunen umfallen, wenn der Teufel sich den Spaß machte, auf ihn mit einem Glasschusser zu kegeln.

Gleichviel, der Traum ging weiter: Angenommen, die Perle war echt ... Hätte er sie zurückgegeben? Selbstverständlich – nun, selbstverständlich war das nicht ... Nach Berlin wäre er gefahren, noch besser, nach Paris ... Im Schatten der Vendôme-Säule, die kleinen Läden ... er lächelte: ausgerechnet er, der Tölpel, würde sich da hineintrauen, um eine Perle von verrücktem Wert anzubieten; über die erste Frage würde er ins Gefängnis stolpern. Also doch besser: zurückgeben – aber wem? Wer konnte sie verloren haben? Herrliche Frauen stellte er sich vor; eine Engländerin, wie von Botticelli gemalt, würde des Weges kommen, jetzt gleich, die Augen suchend auf den Boden geheftet. Wie ein Gott würde er vor sie hintreten. »Please!« würde er sagen, mehr nicht, denn er konnte kein Englisch. Trotzdem, es würde eine hinreißende Szene werden; die süße Musik aus dem Rosenkavalier fiel ihm ein – ja, so würde er dieser Frau die Perle überreichen. Wars nicht besser eine Dame des französischen Hochadels – wenn er sie sich schon heraussuchen durfte – eine Orchidee von einer Frau: und auf französisch würde er wohl einiges sagen können. »Voilà«, würde er sagen; und jeden Finderlohn edel von sich weisen. »Madame, Ihre Tränen getrocknet zu haben, ist meinem Herzen genug. »Avoir« – was heißt trocknen? Avoir séché vos larmes ...« Er lachte sich selber aus: solchen Mist würde er reden, da war es schon besser, die Perle war noch falscher als sein Französisch und seine Gefühle. Und wenn sie echt war, die Perle, die kirschengroße, untadelige: wem gehörte sie dann anders als so einem halbverwelkten amerikanischen Papagei – immerhin, ein paar Dollars auf die Hand wären auch nicht übel ...

Und schon erlaubten sich seine Gedanken, in den alten Trott zu verfallen und ein paar Runden das schöne Kinderspiel vorzuexerzieren: »Ich schenk dir einen Taler, was kaufst dir drum?«, bis er sie unwillig aus dem Gleis warf.

Hanna war ihm eingefallen, auf dem Umweg über diese lächerliche Perle: und zwar das, daß er auch sie nicht geprüft hatte, mit liebender Geduld, sondern weggestoßen in der ersten Wallung gekränkter Begierde. Und hier und heute, hinunterblickend in den nun rasch sich verdunkelnden Fluß, gestand er sichs ein, daß er mehr als einmal erwogen hatte, ob sie nicht doch echt gewesen war, Hanna, die Perle – und ein kostbarer Schmuck fürs Leben. Und vielleicht – fing er wieder zu grübeln an – wenn sie geringer gewesen wäre und nicht so unwahrscheinlich makellos; aber das wars ja wohl, was ihn scheu gemacht hatte: eine Blenderin, eine kalte Kunstfigur mußte sie sein, denn der ungeheure Gedanke, daß sie ein Engel sei, war nicht erlaubt. Grad so gut konnte die Perle echt gewesen sein. Ach was – Spiegelfechterei der Hölle, genug – dort kamen die Freunde.

Ja, die Freunde, sie kamen und in einem Springquell von Gelächter stiegen sie alle zusammen zur Wohnung des Doktors empor. Der empfing sie mit brennender Lunte und vollen Flaschen und im Trinken, Rauchen und Reden wurde es ein Abend, wie er so frei und schön selbst der Jugend nicht immer gelingt, wenn sie Wein hat und Hoffnung auf ein noch einmal gerettetes Leben.

Und bis die Mitternacht da war, hatten sie mancher Woge berauschter Lust sich überlassen und dann wieder manches tiefsinnige Wort still hinter den Gläsern gesprochen und angehört und nun weissagten sie und redeten in Zungen und sie sahen Vieles, was verborgen ist und Viele, die nicht mehr sichtbar sind nüchternen Augen. Sie witterten, ans Fenster tretend und hinunter spähend auf den schwarz und weiß rauschenden Fluß und hinauf in die wandernden Sterne, das Feuer über den Dächern, sie schwuren sich, daß der Tod sein Meisterstück noch nicht gemacht habe und sagten einander mit der erschreckenden Klarheit des Trunkenseins auf den Kopf zu, daß er sie noch zu einem besonderen Tanze holen wolle.

Gegen zwei Uhr aber mußte der Doktor wirklich noch zum drittenmal in den Keller, und die wütenden Zecher bedrängten ihn, daß er vom Besten bringen sollte, er wüßte schon, welchen. Der Hauswirt wehrte sich lachend, er denke nicht daran, seine Perlen vor die Säue zu werfen.

Da fiel unserm Mann die Perle wieder ein, vom Spiel des Worts heraufgeholt rollte sie in sein Gedächtnis, er hielt die flache Hand in die lärmende Schar, als könnte er das Kleinod zeigen und: »denkt Euch«, rief er, »eine Perle habe ich diesen Abend gefunden, groß wie eine Walnuß, rund wie der Mond, schimmernd und schön wie –« »Wo ist sie, wo ist sie?« schrieen alle auf ihn ein, nur, um ihrer Hitzigkeit Luft zu machen. »In der Isar!« lachte er, »bei den feuchten Weibern – den grüngeschwänzten Nixen hab ich sie geschenkt!«

»Großherziger Narr!« rief da der Doktor, der schon in der Tür stand und nun eilig zurücklief, einen fassungslosen Blick auf den Erschrockenen werfend. »Ja, Unseliger, hast Du denn die Zeitung nicht gelesen?« Und er wühlte mit zitternder Hand ein Blatt aus einem Stoß Papiers, schlug es auf und las mit erregter Stimme: »Hohe Belohnung! Auf dem Weg vom Prinzregententheater zum Hotel Vier Jahreszeiten verlor indischer Maharadschah aus dem linken Nasenflügel . . .«

Sie ließen ihn nicht weiter flunkern, sie rissen ihm die Zeitung aus den Händen, suchten zum Scherz nach der Anzeige – nichts natürlich, keine Zeile, erstunken und erlogen das Ganze wohl, die dumme Perlengeschichte. »Aber blaß ist er doch geworden!« trumpfte der Spaßvogel auf und zeigte mit spottendem Finger auf den Perlenfinder; und der saß wirklich da, »als hätten ihm die Hennen das Brot genommen«, krähte einer, aber der war schon leicht betrunken. Und der Wein war wichtiger jetzt als die Perle und der Gastgeber wurde in den Keller geschickt, mit drohenden Worten und er ging auch und brachte vom Besten herauf und der hielt sie noch beisammen, in ernsten, überwachen Gesprächen, bis die Morgenröte herrlich ins Zimmer brach und die erste Möve weiß über den grünaufblitzenden Fluß hinstrich.

Von der Perle war nicht mehr die Rede und auch von den Frauen nicht und so blieb es im Dunkel, ob die Perle echt gewesen war oder nur ein Glasfluß. Auch ob Hanna die Rechte gewesen wäre und ein einmaliger Fund fürs Leben, wurde nicht erörtert, wie es doch sonst oft besprochen wird, wenn Männer reden, in aufgeschlossener Stunde.

Nein, sie stritten über andere Dinge an diesem grauenden Morgen, um wichtigere, wie man zugeben muß, sie spähten nach dem Wege, den Deutschland, den die Welt gehen würde in den nächsten zehn, zwanzig Jahren und bei Gott, sie kamen der Wahrheit so nahe, wie es ein denkender Mensch damals nur konnte und es war eine schreckliche Wahrheit.

Daß aber ein Vierteljahrhundert später die satten Sieger durch das zertrümmerte, sterbende Reich fahren würden, in mächtigen, blanken Blechwagen, das war nicht auszudenken, auch für den schärfsten Verstand nicht, damals, nach dem ersten Kriege.

Ein solcher Wagen fuhr aber wirklich mit lautloser Wucht durch den klaren Sommerabend des Jahres sechsundvierzig den Fluß entlang und bog auf die Prinzregentenbrücke ab. Und es saß ein junges Ehepaar aus Chicago darin, der Mann, ein Offizier der Besatzungsmacht, steuerte selbst. An der Biegung aber, als der Wagen stoppen mußte, um andere vorbeizulassen, zeigte die Frau aus dem Fenster und sagte, hier irgendwo habe, vor Jahren, sie selber sei noch ein Kind gewesen damals, ihre Mutter auf dem Heimweg von einer Rheingoldaufführung – und sie habe durchaus zu Fuß gehen wollen in jener prächtigen Sommernacht – aus dem rechten Ohr eine Perle verloren, die Schwester von der, die sie jetzt als Anhänger trage. Und natürlich habe sich nie ein Finder gemeldet, denn um eine solche Perle habe man damals halb Deutschland kaufen können.

Heute, sagte der Mann und ließ den Wagen anziehen, denn die Straße war grade für einen Augenblick frei, heute würde man, soweit noch vorhanden, das ganze dafür bekommen; und lächelte ihr zu.

Am Brückengeländer aber lehnte ein Mann, er sah wie sechzig aus, er war wohl jünger, er trug ein rundes Hütchen und einen schäbigen grauen Anzug, der ihm viel zu weit war. Er schaute in den Fluß hinunter, er blickte in die leeren Fensterhöhlen des verbrannten Hauses gegenüber und zuletzt ließ er seine traurigen, bitteren Augen dem glänzenden Wagen nachlaufen, bis der in dem Grün der Anlagen verschwand, über denen hoch und einsam der Friedensengel schwebt.

Inhaltsverzeichnis

Ludwig Thoma

»Bayern hat viele Literaten, aber wenige Dichter hervorgebracht. Einer der markantesten ist Ludwig Thoma.« (Thaddäus Troll)

dtv 2556/großdruck

dtv 132

Ludwig Thoma:
Der heilige Hies
Bauerngeschichten
dtv

dtv 201

dtv 997 / großdruck 2509

dtv 1292

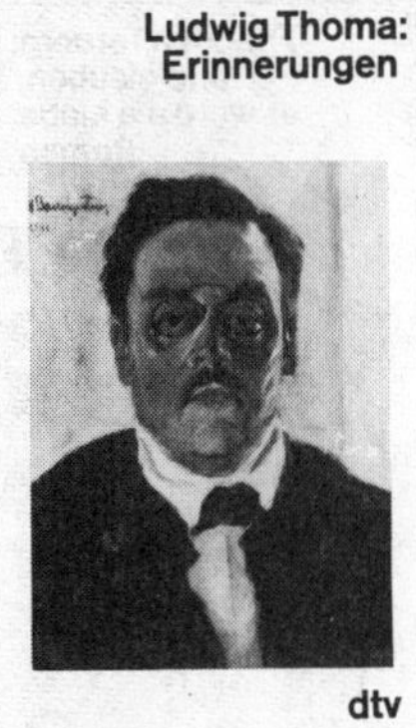
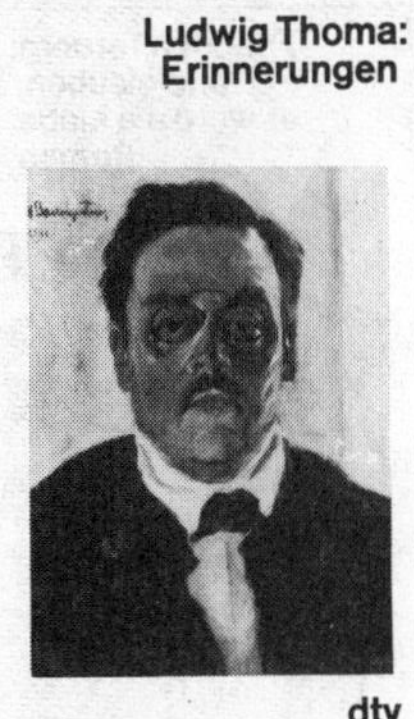

dtv 10087

Heimito von Doderer

Einer der großen Erzähler
nserer Sprache!« (Günter Blöcker)

tv 281

dtv 752

dtv 1254

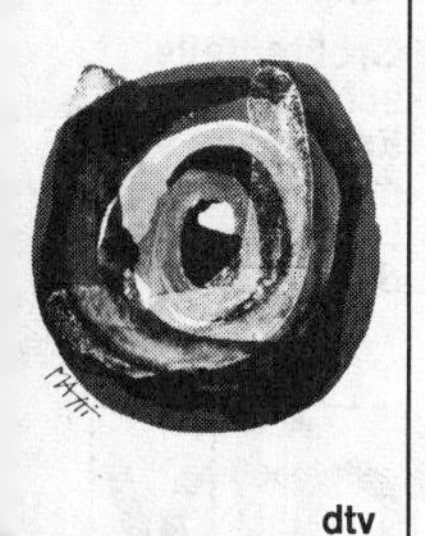

v 10083

Heimito von Doderer:
Die Peinigung
der Lederbeutelchen
und andere
Erzählungen
dtv

dtv 10287

dtv 10476

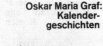